第三十一回　撕扇子作千金一笑　因麒麟伏白首双星

话说袭人见了自己吐的鲜血在地，也就冷了半截，想着往日常听人说：『少年吐血，年月不保，纵然命长，终是废人了。』想起此言，不觉将素日想着后来争荣夸耀之心，尽皆灰了，眼中不觉的滴下泪来。（即使最理智最周到的人，也有人算不如天算的时候，也有灰心的时候，也在那里知其不可而为之。）宝玉见他哭了，也不觉心酸起来，因问道：『你心里觉着怎么样？』袭人勉强笑道：『好好的，觉怎么样呢。』

袭人吐血而灰心，以『红』的观点，这本是一个重要的契机，本应该借此而看穿撒手的，当然，袭人无此灵性，不可能的。即使颇有慧根而且参过禅的宝玉也是做不到的。谁能看得透？即使看透了，谁又能身体力行自己的大彻大悟？即使身体力行了，又能有什么影响，什么意思？

宝玉的意思即刻便要叫人烫黄酒，要山羊血黎峒丸来。袭人拉了他的手，笑道：『你这一闹不大紧，闹起多少人来，倒抱怨我轻狂。分明人不知道，倒闹得人知道了，你也不好，我也不好。（袭人处理问题先考虑影响，自然要降低透明度了。保密才好。）正经明日你打发小子问问王太医去，弄点子药吃吃就好了。人不知鬼不觉的，可不好？』宝玉听了有理，也只得罢了；向案上斟了茶来，给袭人漱了口。袭人知宝玉心内也不安稳的，待要不叫他伏侍，他又必不依；二则定要惊动别人，不如且由他去罢；因此倚在榻上，由宝玉去伏侍。（宝玉要踢小丫头，却踢了袭人，而且后果严重，使袭人和宝玉陷入尴尬状态。这是：一、偶然误伤？二、实是上帝的，亦即作品的上帝——作者的意旨，是对于识大体贤良忠顺『献身』的袭人及离不开袭人的宝二爷的一大调侃？）一交五更，宝玉也顾不得梳洗，忙穿衣出来，将王济仁叫来，亲

自确问。王济仁问其原故，不过是伤损，便说了个丸药的名字，怎么服，怎么敷。（这也是高高举起，轻轻放下。人间这样的事多着呢。）宝玉记了，回园来，依方调治，不在话下。

这日正是端阳佳节，蒲艾簪门，虎符系臂，午间王夫人治了酒席，请薛家母女等赏午。宝玉见宝钗淡淡的，也不和他说话，自知是昨日的原故。王夫人见宝玉没精打彩，也只当是昨日金钏儿之事，他没好意思的，越发不理他。林黛玉见宝玉懒懒的，只当是他因为得罪了宝钗的原故，心中不自在，形容也就懒懒的。（淡淡懒懒没精打采也如传染病。）凤姐昨日晚间王夫人就告诉了他宝玉金钏的事，知道王夫人不自在，自己如何敢说笑，也就随着王夫人气色行事，更觉淡淡的。迎春姐妹见众人无意思，也都无意思了。因此，大家坐了一坐，就散了。

林黛玉天性喜散不喜聚。他想得也有个道理。（所谓喜散喜聚之说，都是人为的矫情，二者思路毫无二致。）他说：『人有聚就有散，聚时欢喜，到散时岂不清冷？既清冷则生感伤，所以不如倒是不聚的好。（散时清冷云云，不也是不喜散吗？她的不聚的好的实质，不正是因长聚不散的乌托邦主义的破灭所生吗？）比如那花开时令人爱慕，谢时便增惆怅，所以倒是不开的好。』故此，人以为欢喜时，他反以为悲。（悲得提前了一些。大略像给一个人祝寿时预致追悼。然而这是真实的心情，虽然是荒唐的逻辑。）那宝玉的情性只愿常聚，生怕一时散了；那花只愿常开，生怕一时谢了；只到筵散花谢，虽有万种悲伤，也就无可如何了。因此今日之筵，大家无兴散了，林黛玉倒不觉得，倒是宝玉心中闷闷不乐，回至自己房中，长吁短叹。

偏生晴雯上来换衣服，不防又把扇子失了手，掉在地下，将骨子跌折。宝玉因叹道：『蠢才，蠢才！将来

怎么样？明日你自己当家立业，难道也是这么顾前不顾后的？』晴雯冷笑道：『二爷近来气大得很，行动就给脸子瞧。前日连袭人都打了，今日又来寻我们的不是。（这一句话等于补叙，『闪回』。）要踢要打凭爷去。就是跌了扇子，也是平常的事；先时连那么样的玻璃缸、玛瑙碗，不知弄坏了多少，也没见个大气儿。这会子一把扇子就这么着了。何苦来！嫌我们就打发了我们，再挑好的使。好离好散的倒不好？』（晴雯的风格果然不同，起码这一点上毫不奴颜婢膝。）

宝玉听了这些话，气的浑身乱战。因此说道：『你不用忙，将来有散的日子！』（又是预言。作者对人物命运了如指掌，故可以涉笔成谶，随时给以神秘与威严的暗示。）袭人在那边早已听见，忙赶过来，向宝玉道：『好好的，又怎么了？可是我说的：「一时我不到就有事故儿。」』晴雯听了冷笑道：『姐姐既会说，就该早来，也省了爷生气。自古以来，就只是你一个人伏侍爷的，我们原没伏侍过。因为你伏侍的好，昨日才挨窝心脚；我们不会伏侍的，明日还不知是个什么罪呢？』（纸是包不住火的，各种矛盾都有表面化的一日。）

袭人听了这话，又是恼，又是愧，待要说几句话，因见宝玉已经气的黄了脸，少不得自己忍个性子，推晴雯道：『好妹妹，你出去逛逛，原是我们的不是。』晴雯听了他说『我们』两字，自然是他和宝玉了，不觉又添了醋意，冷笑几声道：『我倒不知道，你们是谁？别叫我替你们害臊了！便是你们鬼鬼祟祟干的那事，也瞒不过我去。那里就称起「我们」来了！那明公正道，连个姑娘还没挣上去呢，也不过和我似的，那里就称上「我们」了！』（晴雯说话尖刻如利刃，而且抓住破绽，直捣要害，痛快则痛快矣，对她自己却是大大的不利！）袭人羞得脸紫涨起来，想一想，原是自己把话

说错了。宝玉一面说道：『你们气不忿，我明日偏抬举他。』（宝玉一生气，话也失了态。也有补『窝心脚』之歉意，『堤外损失堤内补』之意。）袭人忙拉了宝玉的手道：『他一个糊涂人，你和他分证什么？况且你素日又是有担待的，比这大的过去了多少，今日是怎么了？』晴雯冷笑道：『我原是糊涂人，那里配和我说话！我不过奴才罢咧。』袭人听说，道：『姑娘到底是和我拌嘴，是和二爷拌嘴呢？要是心里恼我，你只和我说，不犯着当着二爷吵；要是恼二爷，不该这么吵的万人知道。我才也不过为了事，进来劝开了，大家保重。姑娘倒寻上我的晦气！又不像是恼我，又不像是恼二爷，夹枪带棒，终久是个什么主意？我就不说，让你说去。』（袭人并非软弱，唇枪舌剑并不含糊，而且处处为了二爷，仁义忠顺，拳拳之心诚于中而形于外，能不动人，能不厉害？比起晴雯的少林拳，袭人的拳路又高一筹了。）说着便往外走。宝玉向晴雯道：『你也不用生气，我也猜着你的心事了。我回太太去，你也大了，打发你出去，可好不好？』（果然，宝玉顺着袭人指的路，杀出了致命一招。也是预言。）晴雯听了这话，不觉又伤起心来，含泪说道：『我为什么出去？要嫌我，变着法儿打发我去，也不能够的。』宝玉道：『我何曾经过这样吵闹？一定是你要出去了。不如回太太，打发你去罢。』（杀手锏付诸使用，二爷的招数尽了，体面尽了，情义也尽了。）说着，站起来就要走。

袭人忙回身拦住，笑道：『往那里去？』宝玉道：『回太太去！』袭人笑道：『好没意思！认真的去回，你也不怕臊了他？便是他认真要去，也等把这气下去了，等无事中说话儿回了太太也不迟。这会子急急的当一件正经事去回，岂不叫太太犯疑？』（冷处理的原则。回太太打发晴雯出去，这是命运的预演。『红』中大量情节都不仅有预兆而且有预演。）

宝玉道：『太太必不犯疑，我只明说是他闹着要去的。』晴雯哭道：『我多早晚闹着要去了？饶生了气，还拿话

压派我。只管去回，我一头碰死了，也不出这门儿。』（又是『不奴隶，毋宁死』。）宝玉道：『这又奇了。你又不去，你又闹些什么？我经不起这吵，不如去了，倒干净。』说着，一定要去回。袭人见拦不住，只得跪下了。（跪下求人，带有强求性质，属于软暴力。）碧痕、秋纹、麝月等众丫鬟见吵闹得利害，都鸦雀无闻的在外头听消息，这会子听见袭人跪下央求，便一齐进来，都跪下了。宝玉忙把袭人拉起来，叹了一声，在床上坐下，叫众人起去。向袭人道：『叫我怎么样才好！这个心使碎了，也没人知道。』（博爱多劳。多劳便必然徒劳，叫做心余力绌。爱得太多，劳得便多，心使碎了，活该！吝惜自己的感情，珍重自己的感情，才不致如此『掉份儿』！）说着，不觉滴下泪来。袭人见宝玉流下泪来，自己也就哭了。

晴雯在旁哭着，方欲说话，只见黛玉进来，便出去了。林黛玉笑道：『大节下，怎么好好的哭起来？难道是为争粽子吃，争恼了不成？』宝玉和袭人『嗤』的一笑。林黛玉道：『二哥哥不告诉我，我不问你也就知道了。』一面说，一面拍着袭人的肩，笑道：『好嫂子，你告诉我，必定是你们两个拌了嘴。告诉妹妹，替你们和劝和劝。』袭人推他道：『姑娘，你闹什么？我们一个丫头，姑娘只是混说。』黛玉笑道：『你说你是丫头，我只拿你当嫂子待。』（黛玉出现得好，说的话更好，与晴、袭、宝的混战接上了茬。）宝玉道：『你何苦来替他招骂名儿。饶这么着，还有人说闲话，还搁得住你来说这话！』袭人笑道：『林姑娘，你不知道我的心事，除非一口气不来，死了，倒也罢了。』林黛玉笑道：『你死了，别人不知怎么样，我先就哭死了。』宝玉笑道：『你死了，我做和尚去。』袭人道：『你老实些罢！何苦还说这些话。』林黛玉将两个指头一伸，抿嘴笑道：『做了两个和尚了！我从今以后，都记着你做和尚的遭数儿。』宝玉听了，知道是他点前日的话，自己一笑，也就罢了。（死活也罢，做一遭再做一遭和尚也罢，适可而止，『一笑也就罢了』，不能一味纠缠泛滥下去，这也算哀而不伤、怨而不怒的传统吧。）

（正在宝、袭、晴混战之时，林黛玉自天而降，恰逢其时，恰说其话，真神人也！种什么因，结什么果，袭人播种了与宝玉的『鬼祟祟』，终于收获了。黛玉管袭人叫嫂子，够『缺德』的。袭人口上不说，心里能不记恨么？客观上，性格的相似造成了派别的形成。客观上，黛玉与晴雯站在一起了。）

一时黛玉去了，就有人来说：『薛大爷请。』宝玉只得去了，原来是吃酒，不能推辞，只得尽席而散。晚间回来，已带了几分酒，踉跄来至自己院内，只见院中早把乘凉的枕榻设下，榻上有个人睡着。宝玉只当是袭人，一面在榻沿上坐下，一面推他，问道：『疼的好些了？』只见那人翻身起来，说：『何苦来，又招我！』宝玉一看，原来不是袭人，却是晴雯。宝玉将他一拉，拉在身旁坐下，笑道：『你的性子越发惯娇了，早起就是跌了扇子，我不过说了那么两句，你就说上那些话。你说我也罢了，袭人好意劝，你又刮拉上他。你自己想想，该不该？』（宝玉性子太好近于无用，钟情太多近于滥情。）晴雯道：『怪热的，拉拉扯扯做什么！叫人来看见像什么！我这身子也不配坐在这里。』宝玉笑道：『你既知道不配，为什么睡着呢？』

晴雯没的说，『嗤』的又笑了，说道：『你不来使得，你来了就不配了。起来，让我洗澡去。袭人麝月都洗了澡，我叫了他们来。』宝玉笑道：『我才又吃了好些酒，还得洗一洗。你既没有洗，拿了水来，咱们两个洗。』（很像是伊甸园里的故事。男男女女的无拘束无邪念无遮盖的裸体的相处，也是一种乌托邦。至今国外有裸体公园，进园者把衣服脱光，便是此种乌托邦的偶尔实现。拍个电影，给个镜头如何？）晴雯摇手笑道：『罢，罢！我不敢惹爷。还记得碧痕打发你洗澡，足有两三个时辰，也不知道做什么呢；我们也不好进去的。后来洗完了，进去瞧瞧，地下的水，淹着床腿，连席子上都汪着水，也不知是怎么洗了。笑了几天。我也没功夫收拾水，你也不用同我洗去。今日也凉快，那会子洗了，这会子可以不用，我倒舀一盆水来你洗洗脸，通通头。才鸳鸯送了好些果子来，都湃在那水晶缸里呢。（没有电冰箱。）叫他们打发你吃。』宝玉笑道：『既这么着，你也不许洗去，只洗洗手，拿果子来吃罢。』晴雯笑道：『我慌张的连扇子还跌折了，那里还配打发吃果子。倘或再打破盘子，还更了不得呢！』宝玉笑道：『你爱打就打。这些东西，原不过是借人所用，你爱这样，我爱那样，各自性情不同；比如那扇子，原是搧的，你要撕着玩，也可以使得，（可爱的少爷理论。可以怀着美好的心情去欣赏，哪怕这种欣赏带有破坏性。）只是不可生气时拿他出气；就如杯盘，原是盛东西的，你喜欢听那一声响，就故意砸了，也可以使得，只别在生气时拿他出气。（不可以因愤怒，有意识地去破坏有价值的东西。）这就是爱物了。』晴雯听了，笑道：『既这么说，你就拿了扇子来我撕。我最喜欢听撕的。』（一切决定于主观动机，这就留下了为一切开脱的口子。）宝玉听了，便笑着递与他。晴雯果然接过来，『嗤』的一声，撕了两半。接着又听『嗤』『嗤』几声。宝玉在旁笑着说：『撕得好！再撕响些。』（多少有褒姒撕绸缎的遗风。率性则易任性，任性不失可爱，任性又易流于霸道和破坏。）

设想一下宝玉碧痕洗澡的情景，本应该是很美的。而且，这一段说笑，绝对不含淫亵之意。但是，天国里的纯净的排除了性意识身体，又是非人间非现实的。这样就更需要通过艺术表达这种对于人体，对于男女的无拘束无设防的快乐相处的幻想与追求。这不是『黄』，

恰恰是『黄』的反面。这又很容易走向『黄』。许多美好的幻想再跨上一步就成了非礼下流。可怜的人类文明！

正说着，只见麝月走过来，笑道：『少作些孽罢！』宝玉赶上来，一把将他手里的扇子也夺了递与晴雯。晴雯接了，也撕作几半子，二人都大笑。麝月道：『这是怎么说？拿我的东西开心儿。』宝玉笑道：『打开扇子匣子你拣了去，什么好东西！』麝月道：『既这么说，就把扇子搬出来，让他尽力撕岂不好？』宝玉笑道：『你就搬去。』麝月道：『我可不造这样孽！他没撕折了手，叫他自己搬去。』晴雯笑着，便倚在床上，说道：『我也乏了，明日再撕罢。』（不免令人想起褒姒的撕绸取乐的故事。符合弗派心理学关于发泄的理论，但终让人觉得罪过，觉得这埋伏下了晴雯下场凶险的种子。）宝玉笑道：『古人云，「千金难买一笑」，几把扇子，能值几何？』一面说着，一面叫袭人。袭人才换了衣服走出来，小丫头佳蕙过来拾去破扇，大家乘凉，不消细说。

至次日午间、王夫人、薛宝钗、林黛玉众姐妹正在贾母房内坐着，就有人回：『史大姑娘来了。』一时，果见史湘云带领众多丫鬟媳妇走进院来。宝钗黛玉等忙迎至阶下相见。青年姊妹间经月不见，一旦相逢，其亲密自不消说得。一时进入房中，请安问好，都见过了。贾母因说：『天热，把外头的衣服脱脱罢。』史湘云忙起身宽衣。王夫人因而笑道：『也没见穿上这些做什么？』史湘云笑道：『都是二婶娘叫穿的，谁愿意穿这些。』

宝钗一旁笑道：『姨妈不知道：他穿衣裳，还更爱穿那别人的衣裳，可记得旧年三四月里，他在这里住着，把宝兄弟的袍子穿上，靴子也穿上，额子也勒上，猛一瞧，倒像是宝兄弟，就是多两个坠子。他站在那椅子背后，哄的老太太只是叫：「宝玉，你过来，仔细那上头挂的灯穗子招下灰来，迷了眼。」他只是笑，也不过去。后来

大家忍不住笑了，老太太才笑了说：『扮作男人好看了。』（这种倒叙带有招之即来的意味。伟大如曹雪芹，写这样一部人物、事件、生活细节众多的长篇，也免不了这边拉一下那边补一下，不足为病，反而觉得自自然然。其实任何一个普通人向你讲述一件事，也难免有跳越、补叙、倒叙、多头、暂挂、空白……诸种手段。为何小说家要把自己搞得那么干巴？或者把一切叙述方式上的灵动归之于洋玩意儿的启发？）林黛玉道：『这算什么！惟有前年正月里接了他来，住了没两日，下起雪来，老太太和舅母那日想是才拜了影回来，老太太的一个新新的大红猩猩毡斗篷放在那，谁知眼不见他就披了，又大又长，他就拿两个汗巾子拦腰系上，和丫头们在后院子扑雪人儿去，一跤栽倒沟跟前，弄了一身泥。』（黛玉讲起湘云，这样洒脱自在，是不是对象的风格也影响着主体呢？）说着，大家想着前情，都笑了。宝钗笑问那周奶妈道：『周妈，你们姑娘还那么淘气不淘气了？』周奶妈也笑了。迎春笑道：『淘气也罢了，我就嫌他爱说话，也没见睡在那里还是咭咭呱呱，（更妙。）笑一阵，说一阵，也不知是那里来的那些谎话！』王夫人道：『只怕如今好了。（只怕，当然这里的怕并不是恐惧之意而是或然可能之意，但这里用一『怕』字仍然令人浮想联翩。）前日有人家来相看，眼见有婆婆家了，还是那么着？』贾母因问：『今日还是住着，还是家去呢？』周奶妈笑道：『老太太没有看见，衣裳都带了来了，可不住两天。』湘云问道：『宝玉哥哥不在家么？』宝钗笑道：『他再不想着别人，只想宝兄弟，两个人好玩的，这可见还没改了淘气。』贾母道：『如今你们大了，别提小名儿了。』

刚说着，只见宝玉来了，笑道：『云妹妹来了！怎么前日打发人接你去，不来？』王夫人道：『这里老太太才说这一个，他又来提名道姓的了。』林黛玉道：『你哥哥有好东西等着你呢。』湘云道：『什么好东西？』宝玉笑道：『你信他！几日不见，越发高了。』湘云笑道：『袭人姐姐好？』宝玉道：『好，多谢你想着。』（岂不如同『嫂子』？湘云见宝玉要问袭人好，而宝玉要代致谢意。）湘云道：『我给他带了好东西来了。』说着，拿出手帕子来，挽着一个挖搭。宝玉道：『什么好的？你倒不如把前日送来的那绛纹石的戒指儿带两个给他。』湘云笑道：『这是什么？』说着便打开，众人看时，果然是上次送来的那绛纹戒指，一包四个。林黛玉笑道：『你们瞧瞧他这个人，前日一般的打发人给我们送来，你就把他的也带了来，岂不省事？今日巴巴儿的自己带了来，我当又是什么新奇东西，原来还是他。真真的是个糊涂人。』史湘云笑道：『你才糊涂呢！我把这理说出来，大家评一评谁糊涂。给你们送东西，就是使来的人不用说话，拿进来一看，自然就知是送姑娘们的了，要带了他们的这东西，须得我告诉来人，这是那一个丫头的，那是那一个丫头的。那使来的人明白还好，再糊涂些，丫头的名字也记不得，混闹胡说的，反连你们的东西都搅糊涂了。若是打发个女人来还罢了，偏前日又打发小子来，可怎么说丫头们的名字呢？还是我来给他们带来，岂不清白！』说着，把四个戒指放下，说道：『袭人姐姐一个，鸳鸯姐姐一个，金钏儿姐姐一个，平儿姐姐一个；（区区小事，也有学问。未免无聊。越是富贵，越要自找麻烦也。这四个人的名单学实为因仆敬主之学，明明是对于贾母、王夫人、凤姐与宝玉的致意。）这倒是四个人的，难道小子们也记得这么清白？』（有许多读『红』评『红』者偏爱湘云，诚然，湘云给密云欲雨的大观园带来一股清爽。但本评者对湘云不大激动得起来，盖黛玉、宝钗已经立住了，她们的命运围绕宝玉，令读者牵肠挂肚，而湘云相对显得边缘些，外围些。性格豪爽透亮的人也不易写出深度。）

众人听了，都笑道：『果然明白。』宝玉笑道：『还是这么会说话，不让人。』林黛玉听了，冷笑道：『他不会说话，就配带「金麒麟」了。』一面说着，便起身走了。幸而诸人都不曾听见，只有薛宝钗抿嘴一笑。（抿嘴一笑，不无快意。发现自己的对立面与另一个对立上了就高兴，是人之常情，也颇可笑。）宝玉听见了，倒自己后悔又说错了话；忽见宝钗一笑，由不得也一笑。宝钗见宝玉笑了，忙起身走开，找了黛玉说笑去了。

贾母因向湘云道：『吃了茶，歇一歇，瞧瞧你嫂子们去。园里也凉快，同你姐姐们去逛逛。』湘云答应了，因将三个戒指包上，歇了一歇，便起身要瞧凤姐等去。众奶娘丫头跟着，到了凤姐那里，说笑了一回。出来，便往大观园来，见过了李宫裁，少坐片时，便往怡红院来找袭人。因回头说道：『你们不必跟着，只管瞧你们的朋友亲戚去。留下翠缕伏侍就是了。』众人听了，自去寻姑觅嫂，单剩下湘云翠缕两个。

翠缕道：『这荷花怎么还不开？』史湘云道：『时候还没到呢。』翠缕道：『这也和咱们家池子里的一样，也是楼子花。』湘云道：『他们这个还不如咱们的。』翠缕道：『他们那边有棵石榴，接连四五枝，真是楼子上起楼子，这也难为他长。』史湘云道：『花草也是同人一样，气脉充足，长的就好。』翠缕把脸一扭，说道：『我不信这话！若说同人一样，我怎么不见头上又长出一个头来的人？』（荷花外有荷花：园外有园，府外有府，贾外有史，天外有天。）

湘云听了，由不得一笑，说道：『我说你不用说话，你偏好说。这叫人怎么好答言？天地间都赋阴阳二气所生，或正或邪，或奇或怪，千变万化，都是阴阳顺逆；就是一生出来，人人罕见的，究竟道理还是一样。』（从花草『楼子上起楼子』扯出阴阳来，不无牵强。看来是作者要湘云在这里大谈一番阴阳。）翠缕道：『这么说起来，从古至今，开天辟地，都是些阴阳了？』（翠缕的发挥说明了她的抽象思辨能力，当可保送哲学研究生。）湘云笑道：『糊涂东西，越说越放屁。什么「都是些阴阳」！况且「阴」「阳」两个字，还只是一个字：阳尽了，就成阴；阴尽了，就成阳；不是阴尽了又有一个阳生出来，阳尽了又有个阴生出来。』翠缕道：『这糊涂死我了！什么是个阴阳，没影没形的？我只问姑娘：这阴阳是怎么个样儿？』湘云道：『这阴阳不过是个气罢了。器物赋了，才成形质。譬如天是阳，地就是阴；水是阴，火就是阳；日是阳，月就是阴。』翠缕听了，笑道：『是了，是了！我今日可明白了。怪道人都管着日头叫「太阳」呢，算命的管着月亮叫什么「太阴星」，就是这个理了。』湘云笑道：『阿弥陀佛！刚刚明白了。』翠缕道：『这些东西有阴阳也罢了，难道那些蚊子、虼蚤、蠓虫儿、花儿、草儿、瓦片儿、砖头儿，也有阴阳不成？』（翠缕可以写论文答辩了。）湘云道：『怎么没有呢！比如那一个树叶儿，还分阴阳呢，那边向上朝阳的就是阳，这边背阴覆下的就是阴。』翠缕听了，点头笑道：『原来这样，我可明白了。只是咱们这手里的扇子，怎么是阳，怎么是阴呢？』湘云道：『这边正面就为阳，那反面就为阴。』（也是用『对话录』的方式谈论哲学，有点欧洲味道。）

翠缕又点头笑了。还要拿几件东西要问，因想不起什么来，猛低头看见湘云宫绦上的金麒麟，便提起来，笑道：『姑娘，这个难道也有阴阳？』湘云道：『走兽飞禽，雄为阳，雌为阴；牝为阴，牡为阳。怎么没有呢？』翠缕道：『这是公的，还是母的呢？』湘云啐道：『什么「公」的「母」的，又胡说了。』（既谈阴阳雌雄，偏讳男女公母，人之无聊，一至于斯！）翠缕道：『这也罢了，怎么东西都有阴阳，咱们人倒没有阴阳呢？』湘云沉了脸说道：『下流东西，好生走罢！越问越说出好的来了！』（还要沉下脸，还要骂下流，端端的精神病！）翠缕道：『这有什么不告诉我的呢？我也知道了，不用难我。』湘云『扑嗤』的笑道：『你知道什么？』翠缕道：『姑娘是阳，我就是阴。』湘云拿手帕子掩着嘴笑起来。翠缕道：『说的是了，就笑的这么样？』湘云道：『很是，很是！』翠缕道：『人家说主子为阳，奴才为阴，我连这个大道理也不懂得？』（谁混谁呢？翠缕已有觉察，故意打诨，大智若愚，彼此一笑。这也是一种可能。）湘云笑道：『你很懂得。』

史湘云大谈阴阳，从小说情节发展上看并不十分自然。按一般责任编辑的眼光，此段可有可无，大可删去。好在人物、气氛、环境都已写活、写『立』、写得令人信服了，有些突兀之笔也就搭进去了。长篇小说写好了的话更富承受能力。也可能别有深意，有待挖掘。也可能只是曹公有意在这里哲学一番。曹公写『红』，颇有求全的追求，他就是要写个百科全书，岂能无哲学？

正说着，只见蔷薇架下金晃晃的一件东西，湘云指着问道：『你看那是什么？』翠缕听了，忙赶去拾起来，看着笑道：『可分出阴阳来了！』说着，先拿史湘云的麒麟瞧。史湘云要他拣的瞧瞧，翠缕只管不放手，笑道：『是件宝贝，姑娘瞧不得！这是从那里来的？好奇怪！我只从来在这里没见人有这个。』湘云道：『拿来我瞧瞧。』翠缕将手一撒，笑道：『姑娘请看。』湘云举目一验，却是文彩辉煌的一个金麒麟，比自己佩的又大又有文彩。湘云伸手擎在掌上，只是默默不语，正自出神，忽见宝玉从那边来了，笑道：『你两个在这日头底下做什么呢？怎么不找袭人去呢？』史湘云连忙将那麒麟藏起，道：『正要去呢，咱们一处走。』说着，大家进入怡红院来。（由阴阳而问麒麟，由麒麟之阴阳而及人之阴阳，而见麒麟，而及麒麟失主宝玉，虽不甚了了却『给你一个惊奇』，读之蓦然心动。蓦然心动后仍是一片迷茫。这种小说学也够绝的了。）

此一回目及金麒麟种种，是『红』的一大公案。解说纷纭，不及备述。此评点不拟将力量用在这些类似猜谜的事情上。谜随它谜去。我们讨论的是已经显露出来，或虽然没有完全显露，却确是有迹可寻，有案可查的东西。这些东西，已够我们受用与伤脑筋了。当然，猜谜也别有乐趣，去唬去蒙去穿凿也有乐趣。但那是另外的路子了。

袭人正在阶下倚槛迎风，忽见湘云来了，连忙迎下来，携手笑说一向别情，一面进来归坐。宝玉因问道：『你该早来，我得了一件好东西，专等你呢。』说着，一面在身上掏，掏了半天，『嗳呀』了一声，便向袭人：『那个东西你收起来了么？』袭人道：『什么东西？』宝玉道：『前日得的麒麟。』（『红』对符号的描写甚为得趣，玉而钗，钗而麒麟，此麒麟而彼麒麟，这是表现符号的痛快淋漓，还是荒唐绝伦？）袭人道：『你天天带在身上的，怎么问我？』宝玉听了，将手一拍，说道：『这可丢了！往那里找去？』就要起身自己寻去。史湘云听了，方知是他遗落的，便笑问道：『你几时又有个麒麟了？』宝玉道：『前日好容易得的呢！不知多早晚丢了，我也糊涂了。』史湘云笑道：『幸而是个玩的东西，还是这么慌张。』说着，将手一撒，笑道：『你瞧瞧，是这个不是？』（一块玉的文章做来做去，难得要领，再加一锁一麒麟，再加一更大的金麒麟，再由宝玉丢掉，由湘云捡去。留点东西给读者猜测思量，固小说之道也。）宝玉一见，由不得欢喜非常。要知欢喜的事，下回分解。

有的小说段落引起分析推理的兴致。这后半回虽难以推理，却仍给你以感觉。在没有推理的依据，找不到推理的出路的时候，先不必着急，也不必否定作品的这一部分，还是寻找你的感觉吧。万物一阴阳一麒麟一失落与捡拾，湘云、翠缕、宝玉以及隐在后面

（……的贾母、张道士、凤姐……你感到什么了么？

晴袭口舌，夹上宝玉，表面琐碎，实为人事上的必然。湘翠谈玄，扯出一个又一个麒麟，表面莫名其妙，蕴涵的是天命上的必然。黛玉计较麒麟，越是计较便越是无奈，她死定了。

第三十二回　诉肺腑心迷活宝玉　含耻辱情烈死金钏

话说宝玉见那麒麟，心中甚是欢喜，便伸手来拿，笑道：『亏你拣着了！你是何时拾的？』史湘云笑道：『幸而是这个，明日倘或把印也丢了，难道也就罢了不成？』宝玉笑道：『倒是丢了印平常，若丢了这个，我就该死了。』（怎么就该死？何言重也。）

袭人斟了茶来与史湘云吃，一面笑道：『大姑娘，我听前日你大喜呀。』史湘云红了脸吃茶，一声也不答应。袭人笑道：『这会子又害臊了？你还记得十年前，咱们在西边暖阁上住着，晚上你同我说的话儿？那会子不害臊，这会子怎么又臊了？』（提醒一下袭人原是贾母的人。）史湘云笑道：『你还说呢！那会子咱们那么好，后来我们太太没了，我家去住了一程子，怎么就把你派了跟二哥哥；我来了，你就不像先待我了。』袭人笑道：『你还说呢！先「姐姐」长，「姐姐」短哄着我替你梳头洗脸，做这个，弄那个；如今大了，就拿出小姐的款儿来。你既拿小姐的款，我怎么敢亲近呢？』（能与、敢与湘云斗嘴，袭人实是拔份儿了。）史湘云道：『阿弥陀佛，冤枉冤哉！我要这样，就立刻死了。你瞧瞧，这么大热天，我来了，必定赶来先瞧瞧你。你不信，你问缕儿，我在家时时刻刻，那一回不念你几声。』（史湘云也死呀活呀的，似乎不值。言重了。也算阴影？）

话犹未了，袭人和宝玉都劝道：『说玩话儿，你又认真了。还是这么性急。』史湘云道：『你不说你的话咽人，倒说人性急。』一面说，一面打开手帕子，将戒指递与袭人。袭人感谢不尽，因笑道：『你前日送你姐姐们的，我已得了；今日你亲自又送来，可见是没忘了我。只这个就试出你来了。戒指儿能值多少，可见你的心真。』史湘云道：『是谁给你的？』袭人道：『是宝姑娘给我的。』（宝姑娘何等周到，走在事情的前面了。）湘云叹道：『我只当林姐姐送你的，原来是宝姐姐给了你。我天天在家里想着，这些姐姐们，再没一个比宝姐姐好的。可惜我们不是一个娘养的，我但凡有这么个亲姐姐，就是没了父母，也没妨碍的。』说着，眼圈儿就红了。宝玉道：『罢，罢，罢！不用提起这个话了。』史湘云道：『提这个便怎么？我知道你的心病：恐怕你的林妹妹听见，又嗔我赞了宝姐姐了。可是为这个不是？』（能拿钗黛关系开开玩笑，说明此话题仍然轻松与天真烂漫。）袭人在旁『嗤』的一笑，说道：『云姑娘，你如今大了，越发心直嘴快了。』宝玉笑道：『我说你们这几个人难说话，果然不错。』史湘云道：『好哥哥，你不必说话叫我恶心；只会在我跟前说话，见了你林妹妹，又不知怎么好了。』（木秀于林，风必摧之。连大大咧咧、小孩气的史湘云也加入了拥薛的行列，夫复何言！）

袭人道：『且别说玩话，正有一件事要求你呢。』史湘云便问：『什么事？』袭人道：『有一双鞋，抠了垫心子，我这两日身上不好，不得做，你可有工夫替我做做？』史湘云道：『这又奇了。你家放着这些巧人不算，还有什么针线上的，裁剪上的，怎么叫我做起来？你的活计叫人做，谁好意思不做呢？』袭人笑道：『你又糊涂了！你难道不知道：我们这屋里的针线，是不要那些针线上的人做的。』（我们屋里的，弄不好以为是老公说老婆。）史湘云听了，便知是宝玉的鞋，因笑道：『既这么说，我就替你做做罢。只是一件，你的我才做，别人的我可不能。』（给宝玉做活，全凭袭人的交情面子，可叹。）袭人笑道：『又来了！我是个什么儿，就敢烦你做鞋了。实告诉你：可不是我的，你别管是谁的，横竖我领情就是了。』史湘云道：『论理，你的东西也不知烦我做了多少。今日我倒不做的原故，你必定也知道。』袭人道：『我倒也不知道。』史湘云冷笑道：『前日我听见把我做的扇套儿拿着和人家比，赌气又铰了。我早就听见了，你还瞒我？这会子又叫我做，我成了你们奴才了。』（补叙了这么一个故事，读者会感到，已讲述的故事之后，还有无数故事。这也是海明威的冰山论。）宝玉忙笑道：『前日的那事本不知是你做的。』袭人也笑道：『他本不知是你做的，是我哄他的话，说是新近外头有个会做活的，扎的绝出奇的好花儿，我叫他们拿了一个扇套儿试试看好不好，他就信了，拿出去给这个瞧、那个看的。不知怎么又惹恼了那一位，铰了两段。回来他还叫赶着做去，我才说了是你做的，他后悔的什么似的。』史湘云道：『这越发奇了。林姑娘也犯不上生气，他既会剪，就叫他做。』袭人道：『他可不做呢。饶这么着，老太太还怕他劳碌着了。大夫又说好生静养才好，谁还肯烦他做呢？旧年好一年的工夫，做了个香袋儿；今年半年，还没见拿针线呢。』（不言褒贬而褒贬之情已出。人是精灵，言语则是精灵之精灵也。）

选择上的分歧，宝、黛、钗、云，四人已经分成了两股道。宝、黛是任性的、个人的、率真的、理想的、我行我素的，却又是相当脱离实际的。哪一个实际活着的人能那样活呢？钗、云是认同社会的现有价值标准的，现实的，实用的，却又是相当庸俗和令人窒息——戕害心灵的。归根结底，谁能无真性？谁能完全不认同他人、社会？在我们每个人的心中，不是都或多或少，或偏于彼或偏于此地有这种选择上的争执和困惑吗？

正说着，有人来回说：『兴隆街的大爷来了，老爷叫二爷出去会。』宝玉听了，便知贾雨村来了，心中好不自在。（本来是贾雨村言，书一开头捏出来的，捏出来以后还真活了，掺和进来了。掺和进来以后便又多了一根搅屎棍。）袭人忙去拿衣服。宝玉一面登着靴子，一面抱怨道：『有老爷和他坐着就罢了，回回定要见我。』史湘云一边摇着扇子，笑道：『自然你能会宾接客，老爷才叫你出去呢。』宝玉道：『那里是老爷？都是他自己要请我见的。』湘云笑道：『「主雅客来勤」，自然你有些警动他的好处，他才要会你。』宝玉道：『罢，罢！我也不称雅，俗中又俗的一个俗人，并不愿同这些人往来。』湘云笑道：『还是这个情性，改不了。如今大了，你就不愿读书去考举人进士的，也该常会会这些为官作宰的，谈讲谈讲那些仕途经济的学问，也好将来应酬庶务，日后也有个朋友。没见你成年家只在我们队里搅些什么？』

宝玉听了，道：『姑娘请别的屋里坐坐，我这里仔细腌臜了你知经济学问的人！』袭人道：『姑娘快别说这话。上回也是宝姑娘也说过一回，他也不管人脸上过得去过不去，他就「咳」了一声，拿起脚来走了。这里宝姑娘的话也没说完，见他走了，登时羞得脸通红，说又不是，不说又不是。幸而是宝姑娘，那要是林姑娘，不知又闹得怎么样，哭得怎么样呢！提起这些话来，宝姑娘叫人敬重，自己过了一会子去了。我倒过不去，只当他恼了，谁知过后还是照旧一样，真真是有涵养，心地宽大的。谁知这一个反倒同他生分了。那林姑娘见他赌气不理，他后来不知赔多少不是呢。』（追叙得分明。倾向也分明。宝玉则更分明。与黛玉的关系已超越朦胧了。）宝玉道：『林姑娘从来说过这些混账话不曾？若他也说过这些混账话，我早和他生分了。』（一语道破，与黛玉引为同道。你说不说混账，全不介意，反正你说什么也不算数。）袭人和湘云都点头笑道：『这原是混账话？』

原来林黛玉知道史湘云在这里，宝玉一定又赶来说麒麟的原故，因心下忖度着，近日宝玉弄来的外传野史，多半才子佳人，都因小巧玩物上撮合，或有鸳鸯，或有凤凰，或玉环金佩，或鲛帕鸾绦，皆由小物而遂终身之愿。（不准爱情，只谈爱物小巧。）今忽见宝玉亦有麒麟，便恐借此生隙，同史湘云也做出那些风流佳事来，因而悄悄走来，见机行事，以察二人之意。不想刚走来，正听见史湘云说『经济』一事，宝玉又说：『林妹妹不说这样混账话，若说这话，我也同他生分了。』

林黛玉听了这话，不觉又喜又惊，又悲又叹。所喜者，果然自己眼力不错，素日认他是个知己，果然是个知己。（人生得一知己足矣！人生得一知己难矣！）所惊者，他在人前一片私心称扬于我，其亲热厚密，竟不避嫌疑。所叹者，你既为我之知己，自然我亦可为你的知己，既你我为知己，则又何必有『金玉』之论呢？既有『金玉』之论，也该你我有之，又何必来一宝钗呢？（麻烦仍是出在宝钗，而不是湘云身上。）所悲者，父母早逝，虽有铭心刻骨之言，无人为我主张；况近日每觉神思恍惚，病已渐成，（爱情与生命，谁也离不开谁。）医者更云：『气弱血亏，恐致劳怯之症。』我虽为你的知己，但恐不能久待；你纵为我知己，奈我薄命何！想到此间，不禁滚下泪来。待进去相见，自觉无味，便一面拭泪，一面抽身回去了。（感情深，思忖深。深深动人。呜呼，哀哉！）

这也算是罕见的大段心理描写了。相当一部分心理活动是借助语言来进行的，所以中国人的心理活动描写，便大不同于巴尔扎克或者乔伊斯。是生活琐事的细节的描写。更是爱情的倾诉。和欧美式的拥抱、接吻、『I love you 我爱你』『I want you 我要你』是怎样的不同啊。和现代青年的爱情亦差之远矣。

这里宝玉忙忙的穿了衣裳出来，忽见黛玉在前面慢慢的走着，似乎有拭泪之状，便忙赶着上来笑道：『妹妹往那里去？怎么又哭了？又是谁得罪了你？』林黛玉回头见是宝玉，便勉强笑道：『好好的，我何曾哭了。』宝玉笑道：『你瞧瞧，眼睛上的泪珠儿未干，还撒谎呢。』一面说，一面禁不住抬起手来，替他拭泪。林黛玉忙向后退了几步，说道：『你又要死了！做什么，这么动手动脚的。』宝玉笑道：『说话忘了情，不觉的动了手，也就顾不得死活。』（他们的感情表现，愈益显示了严重的性质。）林黛玉道：『死了倒不值什么，只是丢下了什么「金」，又是什么「麒麟」，可怎么好呢！』（金呀麒麟呀虽然不经，但形成了极现实的威胁。）一句话，又把宝玉说急了，赶上来问道：『你还说这话，到底是咒我还是气我呢？』林黛玉见问，方想起前日的事来，遂自悔自己又说造次了，忙笑道：『你别着急，我原说错了。这有什么，筋都叠暴起来，急得一脸汗！』一面说，一面禁不住近前伸手替他拭面上的汗。（亲热而又朴实。他们的爱情不但有先验性、心灵性、震撼性、障碍性与虚幻性，也有世俗性与实在性。黛玉为宝玉拭汗，何等地动人！铭心刻骨的恩爱，宝玉不枉走人间一遭矣。话也开始往实里说。）

宝玉瞅了半天，方说道：『你放心。』黛玉听了，怔了半天，说道：『我有什么不放心？我不明白你这话。你倒说说，怎么放心不放心？』宝玉叹了一口气，问道：『你果然不明白这话？难道我素日在你身上的心都用错了？

连你的意思若体贴不着，就难怪你天天为我生气了！』林黛玉道：『果然我不明白放心不放心的话。』宝玉点头叹道：『好妹妹，你别哄我，果然不明白这话，不但我素日之意白用了，且连你素日待我之意也都辜负了。你皆因多是不放心的原故，才弄了一身的病。但凡宽慰些，这病也不得一日重似一日。』（这样的表白，俗白而催人泪下。七十七岁老王，为之再流泪矣！）林黛玉听了这话，如轰雷掣电，细细思之，竟比自己肺腑中掏出来的还觉恳切，竟有万句言语，满心要说，只是半个字也不能吐，却怔怔的望着他。（轰雷掣电是真情，无限真情总是空。）此时宝玉心中有万句言词，不知一时从那一句说起，却也怔怔的望着黛玉。两个人怔了半天，林黛玉只『咳』了一声，两眼不觉滚下泪来，回身便要走。宝玉忙上前拉住道：『好妹妹，且略站住，我说一句话再走。』黛玉一面拭泪，一面将手推开，说道：『有什么可说的？你的话我都知道了。』口里说着，却头也不回，竟去了。（小儿女之情，壮夫不为。有些有为之士并不喜『红』中的这些描写，但这些描写，确有震撼力。）

宝玉望着只管发起呆来。原来方才出来慌忙，不曾带得扇子，袭人怕他热，忙拿了扇子，赶来送与他；忽抬头见了林黛玉和他站着，一时黛玉走了，他还站着不动，因而赶上来说道：『你也不带了扇子去，亏我看见，赶了送来。』宝玉出了神，见袭人和他说话，并未看出是何人来，便一把拉住，说道：（好比是又犯了精神病！在恶浊的封建社会封建大家庭里，当真地要死要活地爱上了一个人，这就是病，这就是痴，这就是大难临头。）『好妹妹，我的这心事，从来也不敢说，今日我胆大说出来，死也甘心！我为你也弄了一身的病，在这里又不敢告诉人，只好捱着。等你的病好了，只怕我的病才得好呢。睡里梦里也忘不了你！』袭人听了，吓得惊疑不止，只叫『神天菩萨，坑死我了！』（袭人之惊疑恐惧，不打一处来。）便推他道：『这是那里的话，敢是中了邪？还不快去！』宝玉一时醒过来，方知是袭人送扇；宝玉羞得满面紫涨，夺了扇子，便抽身的跑了。

宝黛爱情，终于说出了口，也算惊心动魄！真真地爱一个人，固大矣！凿实了。从游戏式的玩笑笑，说说逗逗，哭哭恼恼，终于到了诉肺腑、『轰雷掣电』的阶段了。简直是孤注一掷。爱一个人，就这样艰难。能不为『人』一哭！宝玉钟情至此，就是再有一千个不是，也可以原谅了。读者愿意为宝黛而哭！这泪水中有点人生的滋味。幸亏人的泪腺还没有完全枯萎，否则，人与机器人，人脑与电脑又有什么区别呢？所以，小说还会有人写下去，读下去。文学，也还会怔怔地存在下去。不合时宜也罢。

这里袭人见他去了，自思方才之言，一定是因林黛玉而起，如此看来，将来难免不才之事，令人可惊可畏。想到此间，也不觉怔怔的滴下泪来。心下暗度如何处治，方能免此丑祸。（『暗度如何处治』云云，埋伏了不少谋略与故事。）

正裁疑间，忽有宝钗从那里走来，笑道：『大毒日头地下，出什么神？』袭人见问，忙笑道：『那两个雀儿打架，倒也好玩儿，我就看住了。』（编瞎话也可达到出神入化的上乘，令人想起秦氏的看猫狗打架。看打架，也许是一种暗示。）宝钗道：『宝兄弟这会子穿了衣服，忙忙的那里去了？我才看见走过去，倒要叫住问他呢。他如今说话越发没了经纬，我故此没叫他，由他过去罢。』袭人道：『老爷叫他出去。』宝钗听了，忙说道：『嗳哟！这么黄天暑热的，叫他做什么？别是想起什么来，生了气，叫他出去教训一场罢？』（阴影。老爷的大棒始终举在宝玉头上。）袭人笑道：『不是这个，想是有客要会。』宝钗笑道：『这个客也没意思，这么热天，不在家里凉快，还跑些什么！』袭人笑道：『你可说么！』

宝钗因而问道：『云丫头在你们家做什么呢？』袭人笑道：『才说了一会子闲话，你瞧，我前日粘的那双鞋子，明日求他做去。』宝钗听见这话，便两边回头，看无人来往，笑道：（已有私房话需说可说。）『你这么个明白人，怎么一时半刻的就不会体谅人情？我近来看着云姑娘的神情，风里言风里语的，听起来，在家里一点点做不得主。（耳聪目明信息多。）他们家嫌费用大，竟不用那些针线上的人，差不多儿的东西都是他们娘儿们动手。为什么这几次他来了，他和我说话儿，见没人在跟前，他就说家里累得很。我再问他两句家常过日子的话，他就连眼圈儿都红了，嘴里含含糊糊，待说不说的。想其形景，自然从小没爹娘的苦。我看他也不觉的伤起心来。』（从这一小事上看出史家的家道衰落，是这几个家族的衰落之兆。也看出宝钗、湘云、袭人的关系，特别是宝钗的全面洞察与体贴。还看出钗袭结盟、宝黛被孤立之态。）

袭人见说这话，将手一拍，道：『是了，是了。怪道上月我求他打十根蝴蝶儿结子，过了那些日子，才打发人送来，还说：「这是粗打的，且在别处将就使罢，要匀净的，等明日来住着，再好生打罢。」如今听姑娘这话，想来我们求他，他也不好推辞，不知他在家里怎么三更半夜的做呢！可是我也糊涂了，早知道是这样，我也不该求他的。』宝钗道：『上次他告诉我，说在家里做活做到三更天，若是替别人做一点半点，他家的那些奶奶太太们，还不受用呢。』袭人道：『偏生我们那个牛心左性的小爷，凭着小的大的活计，一概不要家里这些活计上的人做，我又弄不开这些。』宝钗笑道：『你理他呢！只管叫人做去，就是了。』袭人道：『那里哄得过他？他才是认得出来呢。说不得我只好慢慢的累去罢了。』宝钗笑道：『你不必忙，我替你做些何如？』（自荐得巧妙，合时。水到渠成。应该设立一门『自荐学』。说史说贾，最后把自己摆进去，真地道呀！）袭人笑道：『当真的？这样就是我的造化了。晚上我亲自过来。』

一句话未了，忽见一个老婆子忙忙走来，说道：『这是那里说起！金钏儿姑娘好好投井死了！』袭人听得，唬了一跳，忙问：『那个金钏儿？』那老婆子道：『那里还有两个金钏儿呢？就是太太屋里的。前日不知为什么撵他出去，在家里哭天抹泪的，也都不理会他，谁知找不着他，才有打水的人说：「那东南角上井里打水，见一个尸首。」赶着叫人打捞起来，谁知是他。他们还只管乱着要救活，那里中用了？』（『五四』以来，国人都知道『不自由，毋宁死』的口号，却忘记了『不奴隶，毋宁死』的积习。不奴隶，只好死！太不觉悟了。）宝钗道：『这也奇了。』（一个『奇』字表达出宝钗的距离感。）袭人听说，点头赞叹，想素日同气之情，不觉流下泪来。宝钗听见这话，忙向王夫人处来安慰。这里袭人回去不提。

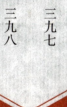

其实，在贾府是奴婢，赶出去也是奴婢。配小子的下场同样可怕。空洞的『自由』『独立』实当不得饭吃。此外，奴隶意识比奴隶地位还可怕。被主家赶出来，当是十分丢人的事。

却说宝钗来至王夫人房里，只见鸦雀无闻，独有王夫人在里间房内坐着垂泪。宝钗便不好提这事，只得一旁坐了。王夫人便问：『你从那里来？』宝钗道：『从园里来。』王夫人道：『你从园里来，可曾见你宝兄弟？』宝钗道：『才倒看见了他，穿着衣服出去了，不知那里去。』王夫人点头叹道：『你可知道一桩奇事？金钏儿忽然投井死了！』（点头叹道，『一桩奇事』。噫！）宝钗见说，道：『怎么好好的投井？这也奇了。』（又奇。当作奇事谈，绝无同情怜惜。）王夫人道：『原是前日他把我一件东西弄坏了，我一时生气，打了一下，撵了他下去。（保密。）我只说气他几天，还叫他上来，谁知他这么气性大，就投井死了，岂不是我的罪过。』宝钗笑道：『姨娘是慈善人，固然是这样想。据我看来，他并不是赌气投井，多半他下去住着，或是在井跟前玩，失了脚掉下去的。他在上头拘束惯了，这一出去，自然要到各处去玩玩逛逛，岂有这样大气的理？纵然有这样大气，也不过是个糊涂人，也不为可惜。』（解释得奇。冷血，自欺，还有一种内在的精明和狡猾。然而这也是一种『必要』。你无法做到同情每一个需要同情的人。人常常需要硬起心肠，若无其事。）王夫人点头叹道：『这话虽然如此，到底我心不安。』

宝钗笑道：『姨娘也不劳关心，十分过不去，不过多赏他几两银子，发送他，也就尽主仆之情了。』（很轻巧。）

王夫人道：『才刚我赏了五十两银子与他娘，原要还把你姊妹们的新衣服给他装裹，谁知各丫头可巧都没有什么新做的衣服，只有你林妹妹做生日的两套。我想你林妹妹那个孩子，素日是个有心的，况且他原也三灾八难的，既说了给他过生日，这会子又给人去装裹，岂不忌讳？因为这么样，我才现叫裁缝赶着做一套给他。要是别的丫头，赏他几两银子，也就完了。金钏儿虽然是个丫头，素日在我跟前，比我的女儿也差不多。』（人的生命是很廉价的。讨论金钏之死本身远不如讨论装裹何出之深入热烈。一条人命不如两套衣装。什么时候能懂得生命的珍贵呢？）口里说着，不觉流下泪来。宝钗忙道：『姨娘这会子又何用叫裁缝赶去，我前日倒做了两套，拿来给他，岂不省事？况且他活的时候也穿过我的旧衣服，身量又相对。』王夫人道：『虽然这样，难道你不忌讳？』宝钗笑道：『姨娘放心，我从来不计较这些。』（果然心宽，果然可疼。）一面说，一面起身就走。王夫人忙叫了两个人跟宝姑娘去。

一时宝钗取了衣服回来，只见宝玉在王夫人旁边坐着垂泪。王夫人正才说他，因见宝钗来了，就掩住口不说了。宝钗见此景况，察言观色，早知觉了七八分。于是将衣服交明，王夫人将他母亲叫来拿了去。再看下回分解。

此回读罢，确有宝黛爱情已陷重围之感。宝钗的冷静得体，时而令人毛骨悚然。黛玉的任性也荒唐自苦。黛玉的一切，确是自讨苦吃。连『生存』都不考虑，还怎么考虑爱情？她果真是绝对令人同情的吗？感情与理智，独立与趋同，我行我素与克己奉人，任何一面发展到极端都会走向自己的反面，美德美行可能类似恶德恶行。

湘云给袭人戒指，袭人求湘云为宝玉做鞋，多么温馨！宝钗告诉袭人湘云家道困难，多么体己！宝玉向黛玉表达爱情，以命相许，多么悲苦！宝玉误将袭人看成黛玉，多么危险！宝钗劝慰王夫人，多么懂事！鸡零狗碎之中，悲剧正在准备，灭亡之神的脚步不可阻挡！

第三十三回　手足眈眈小动唇舌　不肖种种大承笞挞

却说王夫人唤上他母亲来，拿几件簪环，当面赏与，又吩咐：『请几众僧人念经超度他。』（王夫人对于金钏之死并非全无自责，但这种高层人物手段太多，赏钱赏礼赏簪环，再办办后事，便自以为对得起死者了。）他母亲磕头，谢了出去。

原来宝玉会过雨村回来，听见了金钏儿含羞自尽，心中早已五内摧伤，进来又被王夫人数说教训了一番，也无可回说。看见宝钗进来，方得便走出，茫然不知何往，背着手，低着头，一面感叹，一面慢慢的信步来至厅上。

刚转过屏门，不想对面来了一人，正往里走，可巧撞了一个满怀。只听那人喝一声：『站住！』宝玉唬了一跳，抬头看时，不是别人，却是他父亲，早不觉倒抽了一口气，只得垂手一旁站了。贾政道：『好端端的，你垂头丧气嗐些什么？方才雨村来了，要见你，那半天才出来；既出来了，全无一点慷慨挥洒的谈吐，仍是葳葳蕤蕤的。我看你脸上一团私欲愁闷气色，这会子又嗳声叹气，你那些还不足，还不自在？无故这样，却是为何？』宝玉素日虽然口角伶俐，只是此时一心总为金钏儿感伤，恨不得此时也身亡命殒，跟了金钏儿去，如今见他父亲说这些话，究竟不曾听见，只是怔怔的站着。（宝玉的精神面貌确实不对头，永远不对头。作为一个负责的父亲，对于精神不振作的现象，自应深恶痛绝。）

贾政见他惶悚，应对不似往日，原本无气的，这一来，倒生了三分气。方欲说话，忽有回事人来回：『忠顺亲王府里有人来，要见老爷。』贾政听了，心下疑惑，暗暗思忖道：『素日并不与忠顺府来往，为什么今日打发人来？』（贵族之间，原有一损俱损一荣俱荣的结亲结盟关系，也有素不来往的保持距离关系。其背后似有政治利益集团的划分背景。素不来往者突然造访，由不得贾政不紧张。）一面想，一面命：『快请厅上坐。』急忙进内更衣。出来接见时，却是忠顺府长府官，一面彼此见了礼，归坐献茶。未及叙谈，那长府官先就说道：『下官此来，并非擅造潭府，皆因奉命而来，有一件事相求。看王爷面上，敢烦老先生做主。不但王爷知情，且连下官辈亦感谢不尽。』

贾政听了这话，摸不着头脑，忙陪笑起身问道：『大人既奉王命而来，不知有何见谕？望大人宣明，学生好遵谕承办。』那长府官冷笑道：（一声冷笑，麻烦不小。）『也不必承办，只用老先生一句话就完了。我们府里有一个做小旦的琪官，一向好好在府，如今竟三五日不见回去，各处去找，又摸不着他的道路，因此各处察访。这一城内，十停人倒有八停人都说，他近日和衔玉的那位令郎相与甚厚。下官辈听了，尊府不比别家，可以擅来索取，因此启明王爷。王爷亦说：「若是别的戏子呢，一百个也罢了；只是这琪官，随机应答，谨慎老成，甚合我老人家的心境，断断少不得此人。」故此求老先生转达令郎，请将琪官放回，一则可慰王爷谆谆奉恳之意，二则下官辈也可免操劳求觅之苦。』（绝不考虑琪官本人意愿。）说毕，忙打一躬。（以打躬来将军、进攻、炮轰。）

贾政听了这话，又惊又气，即命唤宝玉出来。宝玉也不知是何原故，忙忙赶来，贾政便问：『该死的奴才！（确是该死！得罪了亲王，是好玩的吗？）你在家不读书也罢了，怎么又做出这些无法无天的事来！那琪官现是忠顺王爷驾前承奉的人，你是何等草莽，无故引逗他出来，如今祸及于我。』（这是要害，宝玉闯了祸，快株连上乃父了。）宝玉听了，唬了一跳，忙回道：『实在不知此事。究竟「琪官」两个字，不知为何物，况更加以「引逗」二字！』说着便哭。（先赖。）

贾政未及开口，只见那长府官冷笑道：『公子也不必隐饰，或藏在家，或知其下落，早说了出来，我们也不受些辛苦，岂不念公子之德？』宝玉连说：『实在不知。恐是讹传，也未见得。』那长府官冷笑两声道：『现有证据，必定当着老大人说了出来，公子岂不吃亏？既说不知此人，那红汗巾子怎得到了公子腰里？』宝玉听了这话，不觉轰了魂魄，目瞪口呆，心下自思：『这话他如何得知？他既连这样机密事都知道了，大约别的瞒他不过，不如打发他去了，免得再说出别的事来。』（便只有招认，以争取坦白从宽了。）因说道：『大人既知他的底细，如何连他置买房舍这样大事倒不晓得了？听得说，他如今在东郊离城二十里有个什么紫檀堡，他在那里置了几亩田地，几间房舍。想是在那里，也未可知。』（算不算宝玉把琪官给『卖』了呢？以后，宝玉有何面目见他？）那长府官听了，笑道：『这样说，一定是在那里。我且去找一回，若有了便罢，若没有，还要来请教。』（『请教』二字，用出威胁意味来。）说着，便忙忙的告辞走了。

琪官置买房舍、宝玉琪官来往诸事，小说文本俱付阙如，略一提及，便知山外有山，楼外有楼，小说外还有许多小说故事。这也是长篇小说亦繁亦简之处。

贾政此时气得目瞪口歪，（目瞪口歪，比目瞪口呆更形象真切。）一面送那官员，一面回头命宝玉：『不许动！回来有话问你！』一直送那官员去了。才回身，忽见贾环带着几个小厮一阵乱跑，贾政喝命小厮：『给我快打！』贾环见了他父亲，吓得骨软筋酥，赶忙低头站住。贾政便问：『你跑什么？带着你的那些人都不管你，不知往那里去，由你野马一般！』喝叫：『跟上学的人呢？』贾环见他父亲甚怒，便乘机说道：『方才原不曾跑，只因从那井边一过，那井里淹死了一个丫头，我看人头这样大，身子这样粗，泡得实在可怕，所以才赶着跑了过来。』（贾环真能抓住机会，变被动为主动，变辩解为进谗，几乎是早有准备、早有训练一般。）贾政听了，惊疑问道：『好端端，谁去跳井？我家从无这样事情，自祖宗以来，皆是宽柔待下。（宽柔何物？可宽柔处宽柔，『好好的爷们』被教坏之时，王夫人欲宽柔亦不可能。）大约我近年于家务疏懒，自然执事人操克夺之权，致使弄出这暴殄轻生的祸患。若外人知道，祖宗的颜面何在！』喝命：『叫贾琏、赖大来！』

小厮们答应了一声，方欲去叫，贾环忙上前，拉住贾政袍襟，贴膝跪下，道：『父亲不用生气。此事除太太房里的人，别人一点也不知道，我听见我母亲说……』说到这句，便回头四顾一看，贾政知其意，将眼色一丢，小厮们明白，都往两边后面退去。贾环便悄悄说道：『我母亲告诉我说，宝玉哥哥前日在太太房里，拉着太太的丫头金钏儿，强奸不遂，打了一顿，金钏儿便赌气投井死了。』（进谗有术，贾环应发『诬告奖』：第一，抓住主子盛怒时机。第二，抓住一些影影绰绰的事，宝玉在太太房里与金钏儿混闹，非无根据。第三，打中要害，这一汇报足以令贾政休克。第四，利用灾难性事件，利用主子在灾难中找替罪羊心切的时机。）话未说完，把个贾政气得面如金纸，大喝：『拿宝玉来！』一面说，一面便往书房去，喝命：『今日再有人来劝我，我把这冠带家私一应就交与他与宝玉过去，我免不得做个罪人，把这几根烦恼鬓毛剃去，寻个干净去处自了，也免得上辱先人、下生逆子之罪！』

众门客仆从见贾政这个形景，便知又是为宝玉了，一个个咬指吐舌，连忙退出。贾政喘吁吁直挺挺的坐在椅子上，满面泪痕，一叠连声：『拿宝玉！拿大棍，拿绳捆上！把门都关上！有人传信到里头去，立刻打死！』（如见其容，如闻其声。立刻打死？不宽柔了。）众小厮们只得齐声答应着，有几个来找宝玉。

那宝玉听见贾政吩咐他『不许动』，早知凶多吉少，那里知道贾环又添了许多的话？正在厅上旋转，怎得个人来往里头捎信，偏生没个人来，连焙茗也不知在那里。（有鲜花着锦、烈火烹油之盛，便有雪上加霜、怒中进谗之灾。）正盼望时，只见一个老妈妈出来，宝玉如得了珍宝，便赶上来拉他，说道：『快进去告诉：老爷要打我呢！快去，快去！要紧，要紧！』宝玉一则急了，说话不明白；二则老婆子偏生又耳聋，不曾听见是什么话，把『要紧』二字，只听做『跳井』二字，便笑道：『跳井让他跳去，二爷怕什么？』（这也是无巧不成书。命中有此一劫。）宝玉见是个聋子，便着急道：『你出去叫我的小厮来罢！』那婆子道：『有什么不了的事？老早的完了，太太又赏了银子，怎么不了事呢？』（虽是打岔，仍是讽刺。死个把丫头有什么了不起？二爷的屁股可事关重大呢。）

宝玉急得手脚正没抓寻处，只见贾政的小厮走来，逼着他出去了。贾政一见，眼都红了，也不暇问他在外流荡优伶，表赠私物，在家荒疏学业，逼淫母婢，只喝命：『堵起嘴来，着实打死！』（这几条罪名，第一，大致不算冤枉，与金钏事固有贾环诬告，宝玉也是罪责难逃。第二，与琏、珍、蓉、薛蟠辈比，并不出格。贾政盛怒，一是严格要求亲儿子嫡儿子，二是得罪了王爷，担待不起，三是早就对宝玉不满，宝玉有人护着，他教训不了，便也感到压抑。）小厮们不敢违，只得将宝玉按在凳上，举起大板，打了十来下。宝玉自知不能讨饶，只是呜呜的哭。贾政还嫌打的轻，一脚踢开掌板的，自己夺过板子来，狠命的又打了十几下。

（宝玉向黛玉倾诉了真情，立即挨打，这是一种非逻辑的衔接关系——蒙太奇关系。宝玉挨打是为蒋玉函事，与宝黛爱情无关，但接在一起写，便另有一番滋味。接得好！回目安排得好！大难果然临头！）

宝玉生来未经过这样苦楚，起先觉得打的疼不过，还乱嚷乱哭，后来渐渐气弱声嘶，哽咽不出。众门客见打的不祥了，（『不祥』二字用得好。）赶着上来，恳求夺劝。贾政那里肯听？说道：『你们问问他干的勾当，可饶不可饶！素日皆是你们这些人把他酿坏了，到这步田地，还来劝解。明日酿到他弑父弑君，你们才不劝不成？』（无限上纲，泄怒老办法。有论者以此为据论证宝玉的叛逆性，未必。）

众人听这话不好听，知道气急了，忙乱着觅人进去给信。王夫人不敢先回贾母，只得忙穿衣出来，也不顾有人没人，忙忙扶了一个丫头，赶往书房中来。慌得众门客小厮等避之不及。贾政方要再打，一见王夫人进来，更加火上浇油，那板子越下去的又狠又快。（先是王夫人来劝，劝不住。有点像包拯铡陈士美，先公主，后太后来说情，一级又一级地升格。潜台词是：你们护的，你们惯的！益发意气用事，意在示威。）按宝玉的两个小厮，忙松手走开，宝玉早已动弹不得了。贾政还欲打时，早被王夫人抱住板子。贾政道：『罢了，罢了！今日必定要气死我才罢！』王夫人哭道：『宝玉虽然该打，老爷也要保重。且炎暑天气，老太太身上又不大好，打死宝玉事小，倘或老太太一时不自在了，岂不事大？』（王夫人劝得仍极礼貌有致。）贾政冷笑道：『倒休提这话！我养了这不肖的孽障，我已不孝；平昔教训他一番，又有众人护持，不如趁今日结果了他的狗命，以绝将来之患！』（抬出贾母，亦不灵了。）说着，便要绳来勒死。（进而要绳勒死，事态更加严重，却也显出闹剧色彩来了。气极了，演出的便成闹剧。）王夫人连忙抱住哭道：『老爷虽然应当管教儿子，也要看夫妻分上。我如今已五十岁的人，只有这个孽障，必定苦苦的以他为法，我也不敢深劝。今日越发要他死了，岂不是有意绝我？既要勒死他，快拿绳先勒死我，再勒死他。我们娘儿们不如一同死了，在阴司里也得个倚靠。』（令人感动。从另一面说，也是报应。逼死金钏，紧接着陷于此境，说出此话，『拿绳勒死』云云，岂戏言哉！）说毕，抱住宝玉，放声大哭起来。

贾政听了此话，不觉长叹一声，向椅上坐了，泪如雨下。（两个人都哭了，动了感情，再写宝玉挨板子后的状态。）王夫人抱着宝玉，只见他面白气弱，底下穿着一条绿纱小衣，一片皆是血迹。禁不住解下汗巾去，由腿看至臀胫，或青或紫，或整或破，竟无一点好处，不觉失声大哭起『苦命的儿』来。因哭出『苦命儿』来，又想起贾珠来，便叫着贾珠，哭道：『若有你活着，便死一百个，我也不管了。』（这更像一种修辞方法，是反话，既无贾珠，只能视宝玉为心肝生命。）此时里面的人闻得王夫人出来，那李宫裁、王熙凤与迎春姊妹早已出来了。王夫人哭着贾珠的名字，别人还可，惟有李宫裁禁不住也放声哭了。（李纨槁木死灰，从不动情，此时插进来哭，极合情理。人人有其一恸。）贾政听了，那泪更似走珠一般滚了下来。

正没开交处，忽听丫鬟来说：『老太太来了。』一句话未了，只听窗外颤巍巍的声气说道：『先打死我，再打死他，岂不干净了！』（语出不凡，先声夺人，一语穿透多少屏障！贾母岂是等闲之辈！）贾政见他母亲来了，又急又痛，连忙迎出来。只见贾母扶着丫头，摇头喘气的走来。贾政上前躬身陪笑说道：『大暑热天，母亲有何生气的自己走来，有话只叫儿子进去吩咐便了。』贾母听了，便止步喘息，一面厉声道：『你原来和我说话！我倒有话吩咐，只是我一生没养个好儿子，却叫我和谁说去！』（都动了真肝火，读之喘不过气来。一句一刀，刺刀见红，字字出血！）

贾政听这话不像，忙跪下含泪说道：『为儿的教训儿子，也为的是光宗耀祖。母亲这话，我做儿子的如何当得起？』贾母听说，便啐了一口，说道：『我说了一句话，你就禁不起！你那样下死手的板子，难道宝玉就禁得起了？你说教训儿子是光宗耀祖，当日你父亲怎么教训你来！』（对答如流，批深批透，贾宝玉体无完肤，贾政亦体无完肤矣。高屋建瓴，势如破竹。各有其悲。）说着，也不觉滚下泪来。贾政又陪笑道：『母亲也不必伤感，皆是做

儿子的一时性急，从此以后，再不打他了。』贾母便冷笑几声道：『你也不必和我赌气，你的儿子，自然你要打就打。想来你也厌烦我们娘儿们，不如我们早离了你，大家干净！』说着，便命人：『去看轿！我和你太太、宝玉立刻回南京去。』（都有无赖招数，贾母亦不例外。贾母绝不省油，贾母也受过流氓文化的熏陶。）家下人只得答应着。

贾母又叫王夫人道：『你也不必哭了。如今宝玉年纪小，你疼他，他将来长大，为官作宦的，也未必想着你是他母亲了。你如今倒不要疼他，只怕将来还少生一口气呢！』（旁敲侧击，句句击中。比正面说还厉害。这也是语言的艺术，艺术的威力。包括读者，谁不动情？）贾政听说，忙叩头说道：『母亲如此说，儿子无立足之地了！』贾母冷笑道：『你分明使我无立足之地，你反说起你来！只是我们回去了，你心里干净，看有谁来不许你打。』一面说，一面只命：『快打点行李车辆轿马回去！』贾政直挺挺跪着，叩头认罪。（『直挺挺』三字形容得有限。甚至令人想起贾瑞的『硬邦邦』来。）

贾母一面说，一面来看宝玉，只见今日这顿打，不比往日，又是心疼，又是生气，也抱着哭个不了。王夫人与凤姐等解劝了一会，方渐渐的止住。早有丫鬟媳妇等，上来要搀宝玉，凤姐便骂：『糊涂东西！也不睁开眼瞧瞧，这个样儿，如何搀着走得？这不快进去把那藤屉子春凳抬出来呢！』（凤姐精明，乱中有细，此种描写应属滴水不漏。）众人听了，连忙进去，果然抬出春凳来，将宝玉抬放凳上，随着贾母王夫人等进去，送至贾母房中。（进程、心态、言语、动作，合情合理，点点滴滴都透着真实可信。）

彼时贾政见贾母怒气未消，不敢自便，也跟着进来。看看宝玉果然打重了，再看看王夫人一声『肉』一声『儿』的哭道：『你替珠儿早死了，留着珠儿，也免你父亲生气，我也不白操这半世的心了。这会子你倘或有个好歹，丢下我，

叫我靠那一个？』数落一场，又哭『不争气的儿』。贾政听了，也就灰心自己不该下毒手打到如此地步。（你也灰心，我也灰心。可惜都在事后。灾难非可防也。）先劝贾母，贾母含泪说道：『儿子不好，原是要管的，不该打到这个分儿。你不出去，还在这里做什么！难道于心不足，还要眼看着他死了才去不成？』（贾母略有松动，轰贾政出去如同赦了贾政。）贾政听说，方退了出来。

此时薛姨妈同宝钗、香菱、袭人、史湘云等也都在这里。袭人满心委屈，只不好十分使出来。（袭人的优质服务带有垄断性，不能垄断了，便满心委屈。）见众人围着，灌水的灌水，打扇的打扇，自己插不下手去，便索性走出门，到二门前，命小厮们找了培茗来细问：『方才好端端的，为什么打起来？你也不早来透个信儿！』（不服务了，便去查核始末。此高级服务也。）焙茗急的说：『偏生我没在跟前，打到中间，我才听见了，忙打听原故，却是为琪官同金钏姐姐的事。』（焙茗也是亲信，提供了重要与主要的情报。奴才需要掌握主子间矛盾的信息，很必要也很危险。）袭人道：『老爷怎么知道的？』焙茗道：『那琪官的事，多半是薛大爷素昔吃醋，没法儿出气，不知在外头挑唆了谁来，在老爷跟前下的火。那金钏儿的事，大约是三爷说的，我也是听见跟老爷的人说。』（焙茗此说确否？至少也是事出有因。因此说而引起了薛家兄妹、母子的矛盾，真是错综复杂见后。小事大事，同理。）

袭人听了这两件事都对景，心中也就信了八九分，（重对景符合预计，却不重证据，这是传统法学的一大缺陷。）然后回来，只见众人都替宝玉疗治调停完备。贾母命：『好生抬到他房内去。』众人一声答应，七手八脚，忙把宝玉送入怡红院内自己床上卧好，又乱了半日，众人渐渐散去，袭人方进前来，经心服侍，问他端的，且听下回分解。（『红

始终没有交代琪官之事是怎么走漏的。）

曹雪芹写大场面，如指挥一个交响乐队，贾政如何，贾环如何，宝玉如何，小厮如何，清客如何，聋婆子如何，王夫人如何，李纨如何……有条不紊，错落有致，合成一个亦喜亦悲亦闹亦正的大乐章！偌大场面，面面俱到，你一言我一语，各有特色。读之如身临其境。写活了，写神了，写绝了。这是前四十回的一大高潮。这一高潮涉及许多人和事，许多矛盾侧面。各种矛盾积累到一定程度，便要大乱一次。每个人的表现都恰如其分，恰有其理。忠顺府长府官话说得并无差错，贾政怒得更有道理，也是一身正气。贾环进谗不佳，毕竟无风不起浪。贾政打得有理。王夫人说得有理。李纨哭得有理。贾母气得骂得赖得有理。凤姐料理得有理。袭人查核得有理。这一切矛盾又都成了以后的矛盾发展的预伏。真大手笔也！

一场好打，都是理由充分，乱哄哄本是天意，读起来仍然令人叹息。最可叹是李纨，只这一次有感情的流露。

第三十四回　情中情因情感妹妹　错里错以错劝哥哥

话说袭人见贾母王夫人等去后，便走来宝玉身边坐下，含泪问他：『怎么就打到这步田地？』宝玉叹气说道：『不过为那些事，问他做什么！只是下半截疼得很，你瞧瞧，打坏了那里？』（不过那些事。人皆知。贾政就是不允许。）袭人听说，便轻轻的伸手进去，将中衣脱下，略动一动，宝玉便咬着牙叫『嗳哟』，袭人连忙停住手：如此三四次，才褪下来了。袭人看时，只见腿上半段青紫，都有四指阔的僵痕高了起来。袭人咬着牙说道：『我的娘！怎么下

这般的狠手！你但凡听我一句话，也不到得这步地位。幸而没动筋骨，倘或打出个残疾来，可叫人怎么样呢？』（袭人总结的教训是宝玉应该听她的。因为她贤良，因为她代表『正确』的东西。）

正说着，只听丫鬟们说：『宝姑娘来了。』袭人听见，知道穿不及中衣，便拿了一床夹纱被，替宝玉盖了。只见宝钗手里托着一丸药走进来，向袭人说道：『晚上把这药用酒研开，替他敷上，把那淤血的热毒散开，可以就好了。』（宝钗是务实的。）说毕，递与袭人。又问：『这会子可好些？』宝玉一面道谢，说：『好些了。』又让坐。

宝钗见他睁开眼说话，不像先时，心中也宽慰了好些，便点头叹道：『早听人一句话，也不至有今日。别说老太太、太太心疼，就是我们看着，心里也……』（同样的结论。）刚说了半句，又忙咽住，自悔说的话太急了，不觉红了脸，低下头来。（宝姑娘并非冷面冷心，只是不轻易放纵自己，不轻易形于色罢了。）宝玉听得这话如此亲切稠密，大有深意，忽见他又咽住，不往下说，红了脸，低下头，只管弄衣带，那一种娇羞怯怯，竟难以言语形容，（宝钗娇态，第一次亮相。）越觉心中感动，将疼痛早已丢在九霄云外去了。想道：『我不过挨了几下打，他们一个个就有这些怜惜之态，令人可亲可敬。假若我一时竟遭殃横死，他们还不知何等悲感呢！既是他们这样，我便一时死了，得他们如此，一生事业，纵然尽付东流，也无足叹惜矣。』（居然升华到世界观、人生观的高度，真是人各有志。宝玉的志，率性而已。）正想着，只听宝钗问袭人道：『怎么好好的动了气，就打起来了？』袭人便把焙茗的话说出来了。（袭人何至如此冒失，把薛蟠也扯了出来？想是：一、她要表达她对宝玉挨打事的认真查核的忠心；二、早已把宝钗引为同道，引为主子，自当不折不扣地去汇报。）宝玉原来还不知贾环的话，见袭人说出，方才知道；因又拉上薛蟠，惟恐宝钗沉心，忙又止住袭人道：『薛大哥从来不这样的，你们别混猜度。』

宝钗听说，便知宝玉是怕他多心，用话拦袭人。因心中暗暗想道：『打得这个形象，疼还顾不过来，还这样细心，怕得罪了人。你既这样用心，何不在外头大事上做工夫，老爷也欢喜了，也不能吃这样亏。你虽然怕我沉心，所以拦袭人的话，难道我就不知我哥哥素日恣心纵欲、毫无防范的那种心性？当日为一个秦钟，还闹的天翻地覆，自然如今比先又加利害了。』（这在中国小说中已算大段心理描写，只是太务实了。）想毕，因笑道：『你们也不必怨这个怨那个，据我想，到底宝兄弟素日肯和那些人来往，老爷才生气。就是我哥哥说话不防头，一时说出宝兄弟来，也不是有心挑唆：一则也是本来的实话；二则他原不理论这些防嫌小事。袭姑娘从小儿只见过宝兄弟这样细心人，你何尝见过我哥哥那天不怕地不怕、心里有什么口里说什么的人呢？』（宝钗的应对有多好！不替哥哥辩护而实辩护之，淡化之，从容自然大方谈论之，不改自己舒舒服服应付裕如的状态。）

袭人因说出薛蟠来，见宝玉拦他的话，早已明白自己说造次了，恐宝钗没意思；听宝钗如此说，更觉羞愧无言。宝玉又听宝钗这番一半是堂皇正大，一半是去己的疑心，更觉比先心动神移。（应对外交的首要条件是自己无愧，无愧才能周旋，无愧必能胜任。宝玉为钗心动神移在先，强撮合的婚姻在后。『红』的作者，既承认专一的、以生命相许的爱情，又承认泛爱，尤其是泛欲。）方欲说话时，只见宝钗起身说道：『明日再来看你，好生养着罢。方才我拿了药来，交给袭人，晚上敷上，管就好了。』说着，便走出门去。袭人赶着送出院外，说：『姑娘倒费心了。改日宝二爷好了，亲自来谢了。』宝钗回头笑道：『有什么谢处？你只劝他好生静养，别胡思乱想的就好。要想什么吃的玩的，悄悄的往我那里去取了，不必惊动老太太、太太众人。倘或吹到老爷耳朵里，虽然彼时不怎么样，将来对景，终是要吃亏的。』（端庄、世故、周全，而又一片好意，堪称完美。）说着去了。

袭人抽身回来，心内着实感激宝钗。进来见宝玉沉思默默，似睡非睡的模样，因而退出房外栉沐。宝玉默默的躺在床上，无奈臀上作痛，如针挑刀挖一般，更热如火炙，略展转时，禁不住『嗳哟』之声。那时天色将晚，因见袭人去了，却有两三个丫鬟伺候，此时并无呼唤之事，因说道：『你们且去梳洗，等我叫时再来。』众人听了，也都退出。

这里宝玉昏昏默默，只见蒋玉函走了进来，诉说忠顺府拿他之事；（金钏是死了。蒋没有死呀，怎么也入梦相诉？只能说宝玉对蒋有负疚感。）一时又见金钏儿进来，哭说为他投井之情。宝玉半梦半醒，都不在意。忽又觉有人推他，恍恍惚惚，听得有人悲切之声。宝玉从梦中惊醒，睁眼一看，不是别人，却是林黛玉。犹恐是梦，忙又将身子欠起来，向脸上细细一认，只见他两个眼睛肿得桃儿一般，满面泪光，不是黛玉，却是那个？宝玉还欲看时，怎奈下半截疼痛难禁，支持不住，便『嗳哟』一声，仍旧倒下，叹了一声，说道：『你又做什么来？虽然太阳落下去，那地上的余热未散，倘又受了暑呢，我虽然捱了打，并不觉疼痛。我这个样儿是装出来哄他们，好在外头布散与老爷听。其实是假的，你不可信真。』

此时林黛玉虽不是嚎啕大哭，然越是这等无声之泣，气噎喉堵，更觉利害。听了宝玉这番话，心中虽有万句言词，只是不能说得，半日，方抽抽噎噎的说道：『你从此可都改了罢！』（黛玉的劝告与袭、钗大略一致，可见黛玉并不拒绝实用主义乃至机会主义，她爱宝玉，当然不希望宝玉总挨板子。黛玉身上有许多敏感、多情、恃才恃貌傲物、深沉而又尖刻的东西，因此，她常常与既定的文化导向、价值标准发生冲撞。但把她说成是整个封建主义的叛逆，甚至说成是反封建的先驱，过了。『诉肺腑』以后，宝黛的关系更加亲昵了。）宝玉听说，便长叹一声道：『你放心，别说这样话。我便为这些人死了，也是情愿的。』

愿为『这些人』而死，亦即愿为这些人而生。这反映了宝玉的大寂寞、大虚空。他委实不知道为什么而生。他无法接受那毫不联系实际的忠忠孝孝那一套，他没有也不需要有任何责任心，他其实生而无事。然而他又聪明灵秀，有一定的文化素养和审美情趣，他只能够率性而为，把委实空虚的人生寄托在年轻貌美的异性同性友人身上。对于『红』来说，宝玉挨打是前四十回的重大事件，各种人物各种冲突均浮出水面，中间四十回的大事——抄检大观园可与之相比。对于历史对于社会来说，宝玉挨打则是小事，而且宝玉根本不是一个历史角色。可见，文学有自己的独特的眼光、选择。

一句话未了，只见院外人说：『二奶奶来了。』林黛玉便知是凤姐来了，连忙立起身，说道：『我从后院子里去罢，回来再来。』宝玉一把拉住，道：『这又奇了。好好的怎么怕起他来？』林黛玉急得跺脚，悄悄的说道：『你瞧瞧我的眼睛，又该他们取笑儿开心了。』宝玉听说，赶忙的放了手。黛玉三步两步转过床后，刚出了后院，凤姐从前头已进来了。问宝玉：『可好些了？想什么吃？叫人往我那里取去。』接着薛姨妈又来了。一时贾母又打发了人来。

至掌灯时分，宝玉只喝了两口汤，便昏昏沉沉的睡去。（挨打多么辛苦。）接着周瑞媳妇、吴新登媳妇、郑好时媳妇，这几个有年纪长往来的，听见宝玉挨了打，也都进来。袭人忙迎出来，悄悄的笑道：『婶娘们略来迟了一步，二爷睡着了。』说着，一面带他们到那边房里坐了，倒茶与他们吃。那几个媳妇子都悄悄的坐了一回，向袭人说：『等二爷醒了，你替我们说罢。』

袭人答应了，送他们出去。刚要回来，只见王夫人使个婆子来口称：『太太叫一个跟二爷的人呢。』袭人见说，想了一想，（想了一想，便是有意识有计谋地利用这个机会了。人人对挨打事件都有所反应，客观上是人人利用这个事件。）便回身悄悄的告诉晴雯、麝月、秋纹等人说：『太太叫人，你们好生在房里，我去了就来。』说毕，同那婆子一径出了园子，来至上房。

王夫人正坐在凉榻上摇着芭蕉扇子，见他来了，说道：『你不管叫个谁来也罢了，又丢下他来了，谁伏侍他呢？』（可见王夫人并未有与袭人谈话的意图。是袭人占的主动。）袭人见说，连忙陪笑回道：『二爷才睡安稳了，那四五个丫头，如今也好了，会伏侍二爷了，太太请放心。恐怕太太有什么话吩咐，打发他们来，一时听不明白，倒耽误了事。』（使她们谈话的含义『升格』，『吩咐』云云，分明是说自己前来领旨，来摸『精神』，来领会意图。）王夫人道：『也没甚话，白问问他这会子疼的怎么样？』袭人道：『宝姑娘送来的药，我给二爷敷上了，比先好些了。先疼的躺不稳，这会子都睡沉了，可见好些。』王夫人又问：『吃了什么没有？』袭人道：『老太太给的一碗汤，喝了两口，只嚷干渴，要吃酸梅汤。我想酸梅是个收敛东西，刚才挨打，又不许叫喊，自然急的热毒热血未免存在心里，倘或吃下这个去，激在心里，再弄出大病来，可怎么样？（袭人亦懂医！原来她还兼保健护士！精明服务，奴学博士。）因此我劝了半天，才没吃。只拿那糖腌的玫瑰卤子和了，吃了小半碗，嫌吃絮了，不香甜。』王夫人道：『嗳哟，你何不早来和我说？前日有人送了几瓶子香露来，原要给他一点子的，我怕胡遭塌了，就没给。既是他嫌那玫瑰膏子絮烦，把这个拿两瓶子去，一碗水里，只用挑得一茶匙，就香的了不得呢。』（玫瑰露道具出现，预伏了线索。）说着，就唤彩云来：『把前日的那几瓶香露拿了来。』袭人道：『只拿两瓶来罢，多也白遭塌；等不够，再来取，也是一样。』

彩云听了，去了半日，果然拿了两瓶来，付与袭人。袭人看时，只见两个玻璃小瓶，却有三寸大小，上面螺丝银盖，鹅黄笺上写着『木樨清露』，那一个写着『玫瑰清露』。（这样小，怎么像是香水或花露水？还是食品香精？挑一茶匙和一碗水，不知这是怎么个吃法。）袭人笑道：『好尊贵东西！这么个小瓶儿，能有多少？』王夫人道：『那是进上的，你没看见鹅黄笺子？你好生替他收着，别遭塌了。』

袭人答应着，方要走时，王夫人又叫：『站着，我想起一句话来问你。』（袭人主动来谈，但不能由她主动说什么情况。如果『格儿』不够而又去主动说三道四，当属于『越位』违例，效果适得其反。故是她『要走时』，『王夫人又叫』，才好。）袭人忙又回来，王夫人见房内无人，便问道：『我恍惚听见宝玉今日挨打，是环儿在老爷跟前说了什么话，你可听见这个话没有？你要听见告诉我，我也不吵出来叫人知道是你说的。』袭人道：『我倒没听见这话，为二爷霸占着戏子，人家来和老爷要，为这个打的。』（已将此事告诉了宝玉和宝钗，却不告诉王夫人，以免担更大责任，也避免结怨赵姨娘，这也是中庸之道。这该算是袭人的奸诈还是忠厚呢？）王夫人摇头说道：『也为这个，还有别的原故。』袭人道：『别的原故，实在不知道了。今日大胆在太太跟前说句不知好歹的话，论理……』说了半截，却又咽住。王夫人道：『我有什么生气的，你只管说来。』袭人道：『太太别生气，我就说了。』王夫人道：『你说就是了。』袭人道：『论理我们二爷也得老爷教训教训，若老爷再不管，不知将来做出什么事来呢。』（这是一种进言态势，进言（谗）者必须察言观色，说说停停，适可而止，才能不令主子生疑生厌，才能不至于以取宠始，以自取没趣乃至自取灭亡终。）

王夫人一闻此言，便合掌念声『阿弥陀佛』，由不得赶着袭人叫了一声：『我的儿！亏了你也明白这话，和我的心一样。（王夫人果然天真烂漫，一句话就使之折服交心。当然，想必王夫人素日对袭人印象就是好的。）我何曾不知管儿子？先时你珠大爷在，我是怎么样管他，难道我如今倒不知管儿子了？只是有个原故：如今我想我已经五十岁的人了，通共剩了他一个，他又长得单弱，况且老太太宝贝似的，若管紧了他，倘或再有好歹，或是老太太气坏了，那时上下不安，岂不倒坏了，所以就纵坏了他。我常常掰着口儿说一阵，劝一阵，哭一阵，彼时他好过，后来还是不相干，端的吃了亏才罢。设若打坏了，将来我靠谁呢！』说着，由不得滚下泪来。（王夫人向袭人诉苦，袭人的脸面大矣。）

以袭人之卑微地位，她要相对地『出人头地』，要有一定『成就』，只有牢牢地靠拢正统、维护正统、效忠正统，才有自己的立足点。自己立住了，才好谈别的。而且，从逻辑上说，她这样做，最符合主子的利益，方能分享一点主子的利益。她的这点见识，确实高明一筹，所以立即使王夫人折服。当时并不存在斯巴达克思式的奴隶暴动领袖，我们到底还能怎么要求袭人呢？道德标准常常与实用标准相悖离，我们又该怎样评价袭人呢？

袭人见王夫人这般悲感，自己也不觉伤了心，陪着落泪。（与灾难、特殊事件伴生的往往是机遇，尤其是投机者与冒险者的机遇。）又道：『二爷是太太养的，太太岂不心疼，便是我们做下人的，伏侍一场，大家落个平安，也算是造化了。要这样起来，连平安都不能了。那一日那一时，我不劝二爷？（趁机表白、表功。）只是再劝不醒。偏生那些人又肯亲近他，也怨不得他这样，总是我们劝的倒不好了。今日太太提起这话来，我还记挂着一件事，每要来回太太，讨太太个主意，只是我怕太太疑心，不但我的话白说了，且连葬身之地都没了。』（使出胜负手来了。）王夫人听了这话内中有因，忙问道：『我的儿！你只管说。近来我因听见众人背前面后都夸你，我只说你不过在宝玉身上留心，或是诸人跟前和气，这些小意思。谁知你方才和我说的话，全是大道理，正合我的心事。你有什么，只管说什么，只别叫别人知道就是了。』（大道理的用处是提升自己。）袭人道：『我也没什么别的说，我只想着讨太太一个示下，怎么变个法儿，以后竟还叫二爷搬出园外来住，就好了。』（中国人本来就崇拜大道理，而袭人偏偏够得着大道理。语出惊人，石破天惊。）

王夫人听了，吃一大惊，忙拉了袭人的手，问道：『宝玉难道和谁作怪了不成？』袭人连忙回道：『太太别多心，并没有这话。这不过是我的小见识：如今二爷也大了，里头姑娘们也大了，况且林姑娘宝姑娘又是两姨姑表姊妹，虽说是姊妹们，到底是男女之分，日夜一处，起坐不方便，由不得叫人悬心，便是外人看着，也不像大家子的体统。俗语说的好，「没事常思有事」，世上多少没头脑的事，多半因为无心中做出，有心人看见，当做有心事，反说坏了，只是预先不防着断然不好。二爷素日性格，太太是知道的。他又偏好在我们队里闹，倘或不防，前后错了一点半点，不论真假，（难得的是袭人说这些话时毫无愧色。可以设想，即使王夫人知道了宝袭的『同领警幻所训之事』，也仍然信任袭人。因为，自己做了什么并不重要，只要是悄悄地做的，没有捅破窗户纸重要的是大面上表什么态，说什么，这很符合国人的思维与判断习惯。其次，袭人已有把握，主子已有意把她给了宝玉，她本人并不受她维护的戒律的约束。她要的是干脆将宝玉给予她。）人多口杂，那起小人的嘴，有什么避讳，心顺了，说的比菩萨还好；心不顺，就编的连畜生不如。（把假想敌也抬出来，更证明自己的忠顺。）二爷将来倘或有人说好，不过大家直过，没若叫人哼出一声不是来，我们不用说，粉身碎骨，罪有万重，都是平常小事，但后来二爷一生的声名品行，岂不完了？二则太太也难见老爷。俗语又说，「君子防未然」，不如这会子防避的为是。（眼光远，看得高。）太太事情多，一时固然想不到，我们想不到则可，既想到了，若不回明太太，罪越重了。近来我为这事，日夜悬心，又不好说与人，惟有灯知道罢了。』

袭人抓住了要害，纲举目张。父母都会有这种心理，认为青春期是一个危险期，希望自己的子女不致过早过滥地陷入性冲动性关系中，其实不独封建社会然。但封建道德尤其重视『男女之大防』，袭人的话说中了王夫人的心病。客观上，这一番进言准备了此后王夫人的抄检大观园，大杀大砍，害了许多人。

王夫人听了这话，如雷轰电掣的一般，（也是雷轰电掣！）正触了金钏儿之事，心下越发感爱袭人不尽，忙笑道：『我的儿！你竟有这个心胸，想得这样周全。我何曾又不想到这里？只是这几次有事就忘了。你今日这一番话提醒了我，难为你成全我娘儿两个声名体面，真真我竟不知道你这样好罢了。你且去罢，我自有道理。只是还有一句话，你今既说了这样的话，我就把他交给你了，好歹留心，保全了他，就是保全了我，我自然不辜负你。』（袭人大获全胜。这也叫抓住了机遇。）

袭人连声答应着去了。回来正值宝玉睡醒，袭人回明香露之事，宝玉喜不自禁，即命调来吃，果然香妙非常。（此时的袭人，更感香妙。）因心下记挂着黛玉，满心里要打发人去，只是怕袭人，便设一法先使袭人往宝钗那里去借书。（已感到袭人是与黛玉的情义的对立面。）

袭人去了，宝玉便命晴雯来，吩咐道：『你到林姑娘那里，看看他做什么呢。他要问我，只说我好了。』（人际关系，错综微妙，几近派系瓜葛，互爱互防，精微已极！）晴雯道：『白眉赤眼儿的，作什么去呢？到底说句话儿，也像一件事。』宝玉道：『没有什么可说的。』晴雯道：『若不然或是送件东西，或是取件东西，不然，我去了，怎么样搭赸呢？』（晴雯的话有启发作用，也显示了晴雯的倾向性。）宝玉想了一想，便伸手拿了两条手帕子，撂与晴雯，笑道：『也罢，就说我叫你送这个给他去了。』晴雯道：『这又奇了，他要这半新不旧的两条帕子？他又要恼了，说你打趣他。』宝玉笑道：『你放心，他自然知道。』

晴雯听了，只得拿了帕子，往潇湘馆来。只见春纤正在栏杆上晾手帕子，见他进来，忙摇手儿说：『睡下了。』晴雯走进来，满屋漆黑，并未点灯，黛玉已睡在床上，问：『是谁？』晴雯忙答道：『晴雯。』黛玉道：『做什么？』晴雯道：『二爷送手帕子来给姑娘。』黛玉听了，心中发闷，暗想：『做什么送手帕子来给我？』因问：『这帕子是谁送他的，必定是好的，叫他留着送别人罢，我这会不用这个。』晴雯笑道：『不是新的，就是家常旧的。』黛玉听了，越发闷住。细心搜求，一时方大悟过来，（如果是今人呢？有此悟吗？）连忙说：『放下，去罢。』

晴雯只得放了，抽身回去，一路盘算，不解何意。

这林黛玉体贴出手帕子的意思来，不觉神魂驰荡：『宝玉这番苦心能领会我这番苦意，又令我可喜；我这番苦意，不知将来如何，又令我可悲；忽然好好的送两块帕子来，若不是领我深意，单看了这帕子，又令我可笑了；再想到私相传递，我又可惧；我自己每每好哭，想来也无味，又令我可愧。』（这一段似是第三十二回听宝玉倾诉真情后所感的再现与萦绕。可喜，可悲，可笑，可惧，可愧，此情重过千钧。）如此左思右想，一时五内沸然，由不得余意缠绵，便命掌灯，也想不起嫌疑避讳等事，研墨蘸笔，便向那两块旧帕上写道：

其一

眼空蓄泪泪空垂，暗洒闲抛却为谁？
尺幅鲛绡劳惠赠，叫人焉得不伤悲！

其二

抛珠滚玉只偷潸，镇日无心镇日闲；
枕上袖边难拂拭，任他点点与斑斑。

其三

彩线难收面上珠，湘江旧迹已模糊；
窗前亦有千竿竹，不识香痕渍也无？（这三首题帕诗未见才华洋溢，但知刻骨铭心，此情胜于词之作也。或曰：至性无文，至情无词。把它们不是当作诗，而是当作『哭泣』一读可也。）

林黛玉还要往下写时，觉得浑身火热，面上作烧，走至镜台，揭起锦袱一照，只见腮上通红，真合压倒桃花，却不知病由此萌。（在『红』中，情就是病，病就是情，病与情就是命。）一时方上床睡去，犹拿着帕子思索，不在话下。

却说袭人来见宝钗，谁知宝钗不在园内，往他母亲那里去了。袭人不便空手回来，等至二更，宝钗方回来。原来宝钗素知薛蟠情性，心中已有一半疑薛蟠挑唆了人来告宝玉的，谁知又听袭人说出来，越发信了。究竟袭人是焙茗说的，那焙茗也是私心窥度，并未据实，大家都是一半猜度，一半据实，竟认准是他说的。那薛蟠因素日有这个名声，其实这一次却不是他干的，被人生生的一口咬死是他，有口难分。这日正从外头吃了酒回来，见过母亲，只见宝钗在这里，说了几句闲话，因问：『听见宝兄弟吃了亏，是为什么？』薛姨妈正为这个不自在，见他问时，便咬着牙道：『不知好歹的冤家，都是你闹的，你还有脸来问！』薛蟠见说，便怔了，忙问道：『我何尝闹什么？』薛姨妈道：『你还装腔呢！人人都知道是你说的，还赖呢。』薛蟠道：『人人说我杀了人，也就信了罢？』薛姨妈道：『连你妹妹都知道是你说的，难道他也赖你不成？』宝钗忙劝道：『妈妈和哥哥且别叫喊，消消停停的，就有个青红皂白了。』向薛蟠道：『是你说的也罢，不是你说的也罢，事情也过去了，不必较正，把小事弄大了。我只劝你，从此以后，少在外头胡闹，少管别人的事。天天一处大家胡逛，你是个不防头的人，过后没事就罢了，倘或有事，不是你干的，人人都也疑惑说是你干的。不用别人，我先就疑惑你。』（宝钗并未掌权，却也学会了想当然，主观臆断，其言令人反感。围绕宝玉挨打一事，竟引出了薛家的内部矛盾，尤其是薛蟠宝钗兄妹的问题，写得何其丰富立体，在在都是好戏。）薛蟠本是个心直口快的人，见不得这样藏头露尾的事；又是宝钗劝他不要就去，他母亲又说他犯舌，宝玉之打，是他治的，早已急得乱跳，赌神发誓的分辩。又骂众人：『谁这么编派我？（薛蟠问得好。）我把那囚攮的牙敲了！分明是为打了宝玉，没的献勤儿，拿我来做幌子。难道宝玉是天王？他父亲打他一顿，一家子定要闹几天！（宝玉实无什么了不起，除了他在家中地位外，主要是处于小说中心位置罢了。）那一回为他不好，姨父打了他两下子，过后儿老太太不知怎么知道了，说是珍大哥治的，好好的叫了去骂了一顿。（补叙插叙一无头无尾之事。『红的结构行云流水，疏而不漏，但并非天衣无缝。）今日越发拉上我了！既拉上我，也不怕；索性进去把宝玉打死了，我替他偿命，大家干净。』（太急了。反而说明他对宝玉不无微词，他与宝玉不无芥蒂。）一面嚷，一面找起一根门闩来就跑。慌得薛姨妈拉住骂道：『作死的孽障，你打谁去？你先打我来！』薛蟠的眼急得铜铃一般，嚷道：『何苦来！又不叫我去，又好好的赖我。将来宝玉活一日，我耽一日的口舌，不如大家死了清净。』宝钗忙也上前劝道：『你忍耐些儿罢。妈妈急的这个样儿，你不说来劝，你倒反闹得这样。别说是妈妈，便是旁人来劝你，也为你好，倒把你的性子劝上来。』薛蟠道：『你这会子又说这话。都是你说的！』（这样的抬杠当然越抬越气。）宝钗道：『你只怨我说，再不怨你那顾前不顾后的形景。』薛蟠道：『你只会怨我顾前不顾后，你怎么不怨宝玉外头招风惹草的呢？别说别的，就拿前日琪官儿的事比给你们听：那琪官儿我们见了十来次，他并未和我说一句亲热话，怎么前日他见了，连姓名还不知道，就把汗巾子给他？难道这也是我说的不成？』（薛蟠对宝玉确有妒意。就是说，蟠或有作案动机，但无作案证据。）薛姨妈和宝钗急的说道：『还提这个！可不是为这个打他呢！可见是你说的了。』薛蟠道：『真真的气死人了！赖我说的我不恼，我只为一个宝玉闹的这么天翻地覆的。』宝钗道：『谁闹？你先持刀动仗的闹起来，倒说别人闹。』

薛蟠见宝钗说的话句句有理，难以驳正，比母亲的话反难回答，因此便要设法拿话堵回他去，就无人敢拦自己的话了；也因正在气头上，未曾想话之轻重，便道：『好妹妹，你不用和我闹，我早知道你的心了，从先妈妈和我说，你这金要拣有玉的才可配，你留了心，见宝玉有那劳什子，你自然如今行动护着他。』（都有捅要害刀见红的本领。）话未说了，把个宝钗气怔了，拉着薛姨妈哭道：『妈妈，你听哥哥说的是什么话！』薛蟠见妹子哭了，便知自己冒撞，便赌气走到自己房里安歇不提。

宝钗满心委屈气忿，待要怎样，又怕他母亲不安，少不得含泪别了母亲，各自回来，到房里整哭了一夜。（还是触到痛处了。否则一笑一骂而已，哭不了一夜的。）次日一早起来，也无心梳洗，胡乱整理，便出来瞧母亲。可巧遇见黛玉，独立在花阴之下，问他：『那里去？』薛宝钗因说：『家去。』口里说着，便只管走。黛玉见他无精打彩的去了，又见眼上好似有哭泣之状，大非往日可比，便在后面笑道：『姐姐也自己保重些儿，就是哭出两缸泪来，也医不好棒疮！』（包括黛玉，也能从悲剧中看出笑料来。）不知薛宝钗如何答对，且听下回分解。

·挨打有预兆，有前因——蒋玉函事、金钏事等。挨打中贾政是主要一方。挨打有后果，有余波。宝玉是坚持自己的选择，打死也无憾，绝对不可能与乃父要求的那一套妥协了。黛玉是与宝玉的感情更深一层，已经不是两小无猜的嗔嗔喜喜，而是生死相托的性质了。袭人利用这一事件发表了自己的『正确』见解，并提出了『防范措施』，取得了王夫人的特殊信任，也推动了王夫人去准备采取行动。

宝钗则通过看望宝玉及与乃兄的纠纷暴露了真情，她对宝玉的兴趣也已表面化了。曹雪芹的笔真如统率着几个『方面军』一般。

宝玉挨打后各人的情况，尤其是宝、黛、钗、蟠、袭的情况，丝丝入扣，合情合理，都有发展。

挨打事件的唯一胜利者是花袭人，她是求宠有术吗？还是确有真心呢？

第三十五回　白玉钏亲尝莲叶羹　黄金莺巧结梅花络

话说宝钗分明听见林黛玉克薄他，因记挂着母亲哥哥，并不回头，一径去了。（置之不理是最正确的处理。）这里林黛玉还是立于花阴之下，远远的却向怡红院内望着。只见李宫裁、迎春、探春、惜春并各项人等，都向怡红院内去过之后，一起一起的散尽了，只不见凤姐儿来。心里自己盘算道：『如何他不来瞧宝玉？便是有事缠住了，他必定也是要来打个花胡哨，讨老太太、太太的好儿才是。今儿这早晚不来，必有原故。』一面猜疑，一面抬头再看时，只见花花簇簇一群人，又向怡红院内来了。定睛看时，却是贾母搭着凤姐儿的手，后头邢夫人、王夫人，跟着周姨娘并丫头媳妇等人，都进院去了。

黛玉看了，不觉点头，想起有父母的好处来，早又泪珠满面。（黛玉不是喜散不喜聚么？为何又羡聚悲散呢？她还是看不透，想不开，欠火候呀！）少顷，只见宝钗薛姨妈等也进去了。忽见紫鹃从背后走来说道：『姑娘吃药去罢，开水又冷了。』黛玉道：『你到底要怎么样？只是催，我吃不吃，与你什么相干！』（黛玉心中不快，爱宝玉、关心宝玉的人太多了。又有多少『地盘』留给她呢？）紫鹃笑道：『咳嗽的才好了些，又不吃药了？如今虽是五月里，天气热，到底也还该小心些。大清早起，在这个潮地方站了半日，也该回去歇息了。』

一句话提醒了黛玉，方觉得有点腿酸，呆了半日，方慢慢的扶着紫鹃，回潇湘馆来。一进院门，只见满地下竹影参差，苔痕浓淡，（一时竟无尘嚣俗气。）不觉又想起《西厢记》中所云『幽僻处可有人行？点苍苔白露泠泠』二句来，因暗暗的叹道：『双文虽然命薄，尚有孀母弱弟；今日我黛玉之薄命，一并连孀母弱弟俱无。』想到这里，又欲滴下泪来。不防廊上的鹦哥，见黛玉来了，『嘎』的一声，扑了下来，倒吓了一跳。因说道：『你作死呢，又搧了我一头灰。』那鹦哥又飞上架去，便叫：『雪雁，快掀帘子，姑娘来了！』黛玉便止住步，以手扣架，道：『添了食水不曾？』那鹦哥便长叹一声，竟大似黛玉素日吁嗟音韵，接着念道：『侬今葬花人笑痴，他年葬侬知是谁？』（别有天地非人间。高雅若是，岂能见容？）黛玉紫鹃听了，都笑起来。紫鹃笑道：『这都是素日姑娘念的，难为他怎么记了。』黛玉便命将架摘下来，另挂在月洞窗外的钩上，于是进了屋子，在月洞窗内坐了。吃毕药，只见窗外竹影映入纱窗，满屋内阴阴翠润，几簟生凉。黛玉无可释闷，便隔着纱窗，调逗鹦哥做戏，又将素日所喜的诗词也教与他念。（这种清雅闲逸环境，造就了黛玉的性格，也毒蚀着黛玉的灵魂。）这且不在话下。

黛玉立在花阴之下，看一批批人看望宝玉，这个角度选得极佳。突出了宝黛二人处境之大不同，更突出了黛玉与这个家族的疏离感。

情也是负担，是沉重的包袱。黛玉反不能随随便便与别人一起去怡红院『打花胡哨』。同时这种视角也很『文学』。林黛玉的这种敏感清雅的独处生活方式，使评点者不伦不类地联想起美国女诗人艾米莉·狄金森（Emily Dickinson），她完成学业后几乎是足不出户。她写诗，完全不是为了发表，她很短命，温柔纤细，死后才成为著名诗人。《追忆逝水年华》的作者普鲁斯特也是长期过着封闭的生活的。林黛玉的特点其实适合搞艺术，她是艺术型人物。与狄金森相比，最不幸之处是她并不能真正与世隔绝，相反，她处于关系复杂，一个个纵横捭阖、勾心斗角的贾府的矛盾中，她与宝玉的感情甚至把她也推到了矛盾漩涡的中心，她成了矛盾一方，孤立无援必败的一方。而且，她生活在一个视文学艺术为下流异端的社会里。

且说薛宝钗来至家中，只见母亲正梳头呢，一见他来了，便说道：『你大清早起跑来做什么？』宝钗道：『我瞧瞧妈妈，身上好不好？昨儿我去了，不知他可又过来闹了没有？』一面说，一面在他母亲身旁坐了，由不得哭将起来。薛姨妈见他一哭，自己掌不住也就哭了一场，一面又劝他：『我的儿，你别委屈了。你等我处分那孽障！你要有个好歹，我指望那一个来？』薛蟠在外听见，连忙跑过来，对着宝钗左一个揖，右一个揖，只说：『好妹妹，恕我这次罢！原是我昨儿吃了酒，回来的晚了，路上撞客着了，来家未醒，不知胡说了什么，连自己也不知道，怨不得你生气。』（薛蟠可能说了实话，至少他说了自己的认识与估计，故而是最大的发昏，是混蛋已极。）

宝钗原是掩面哭的，听如此说，由不得又好笑了，遂抬头向地下啐了一口，说道：『你不用做这些像生儿了。（『像生儿』是不是『相声』？）我知道你的心里多嫌我们娘儿两个，你是变着法儿叫我们离了你就心净了。』薛蟠听说，连忙笑道：『妹妹，这从那里说起？妹妹从来不是这样多心说歪话的人。』薛姨妈忙又接着道：『你只会听你妹妹的「歪话」，难道昨儿晚上你说的那些话，就该的不成？当真是你发昏了！』薛蟠道：『妈也不必生气，妹妹也不用烦恼，从今以后，我再不同他们一处吃酒闲逛如何？』（『红』的作者主观上就不想把薛蟠写得太坏，这个意图略显露了。）宝钗笑道：『这才明白过来了。』薛姨妈道：『你要有个横劲，那龙也下蛋了。』薛蟠道：『我若再和他们一处逛，妹妹听见了，只管啐我，再叫我畜生，不是人，如何？何苦来为我一个人，娘儿两个天天操心。妈妈为我生气，还犹可恕；若只管叫妹妹为我操心，我更不是人。如今父亲没了，我不能多孝顺妈妈，多疼妹妹，反叫娘母子生气，妹妹烦恼，连个畜生不如了！』（薛蟠对母对妹还是很『义气』的，也许『义气』二字这里用得有点滑稽。但薛蟠并非孝悌忠信之徒，也决不是狼心狗肺之属。）口里说着，眼睛里禁不住也滚下泪来。

薛姨妈本不哭了，听他一说，又吊起伤心来。宝钗勉强笑道：『你闹够了，这会子又招着妈妈哭起来了。』薛蟠听说，忙收了泪，笑道：『我何曾招妈妈哭来？罢，罢，罢！丢下这个别提了，叫香菱来倒茶妹妹吃。』（家人互劝，认罪赔礼，忏悔改过，这一套也是很有中国特色的。反映了家庭观念，互相交叉负责的观念，与一种以个人为本位的文化传统大不相同。）宝钗道：『我也不吃茶，等妈妈洗了手，我们就进去了。』薛蟠道：『妹妹的项圈我瞧瞧，只怕该炸一炸去了。』宝钗道：『黄澄澄的，又炸他做什么？』薛蟠又道：『妹妹如今也该添补些衣裳了，要什么颜色花样，告诉我。』宝钗道：『连那些衣服我还没穿遍了，又做什么？』一时薛姨妈换了衣裳，拉着宝钗进去，薛蟠方出去了。

这里薛姨妈和宝钗进园来看宝玉，到了怡红院中，只见抱厦里外回廊上，许多丫头老婆站着，便知贾母等都在这里。（从黛玉的角度已写过此『看』，再从薛姨妈、宝钗角度写，这使人想起拉美搞的『结构现实主义』。）母女两个进来，大家见过了，只见宝玉躺在榻上，薛姨妈问他：『可好些？』宝玉忙欲欠身，口里答应着：『好些。』又说：『只管惊动姨娘姐姐，我当不起。』薛姨妈忙扶他睡下，又问他：『想什么，只管告诉我。』宝玉笑道：『我想起来，自然和姨娘要去的。』王夫人又问：『你想什么吃？回来好给你送来的。』宝玉笑道：『也倒不想什么吃。倒是那一回做的那小荷叶儿小莲蓬儿的汤还好些。』凤姐在旁笑道：『听听，口味倒不算高贵，只是太磨牙了。巴巴的想这个吃了。』贾母便一叠连声的叫：『做去！』凤姐儿笑道：『老祖宗别急，我想想这模子是谁收着呢？』因回头吩咐个婆子问管厨房的去要。

那婆子去了半天，来回说：『管厨房的说：「四副汤模子都缴上来了。」』凤姐听说，又想了一想，道：『我也记得交上来了，就不记得交给谁了，多半是在茶房里。』（贾府的庶务，十分繁杂，凤姐纵有三头六臂，也常有疏漏。）又遣人去问管茶房的，也不曾收。次后还是管金银器的送来了。

薛姨妈先接过来瞧时，原来是个小匣子，里面装着四副银模子，都有一尺多长，一寸见方。上面凿着有豆子大小，也有菊花的，也有梅花的，也有莲蓬的，也有菱角的：共有三四十样，打的十分精巧。（食文化。『中华料理』，精则精矣，有的不免烦琐太过。）因笑向贾母王夫人道：『你们府上也都想绝了，吃碗汤，还有这些样子，要不说出来，我见了这个，也不认得这是做什么用的。』凤姐儿也不等人说话，便笑道：『姑妈那里晓得，这是旧年备膳，他们想的法儿，不知弄些什么面印出来，借点新荷叶的清香，全仗着好汤，究竟没意思。谁家常吃他呢？那一回呈样的，做了一回，他今儿怎么想起来了。』说着，接过来递与个妇人：『吩咐厨房里立刻拿几只鸡，另外添了东西，做出十碗汤来。』

王夫人道：『要这些做什么？』凤姐儿笑道：『有个原故：这一宗东西，家常不大做，今儿宝兄弟提起来了，单做给他吃，老太太、姑妈、太太都不吃，似乎不大好，不如借势儿弄些大家吃，托赖着连我也尝个新儿。』（统筹兼顾，组织者的思路。）贾母听了，笑道：『猴儿，把你乖的！拿着官中的钱做人情。』说的大家笑了。凤姐也忙笑道：『这不相干。这个小东道我还孝敬得起。』便回头吩咐妇人：『说给厨房里，只管好生添补着做了，在我账上领银子。』（贾府的财务制度与财务运作令人很感兴趣。这里略见端倪，难知其详。既谈到『官中的钱』『我的账』，可能彼等有一笔『公款』，又各有一笔包给个人的费用，大锅饭与分散承包并举吧。）婆子答应着去了。

宝钗一旁笑道：『我来了这么几年，留神看起来，二嫂子凭他怎么巧，再巧不过老太太去。』（宝钗没有放过奉承贾母的机会。）贾母听说，便答道：『我的儿！我如今老了，那里还巧什么？当日我像凤哥儿这么大年纪，比他还来得呢！（贾母当仁不让，自非等闲人物。）他如今虽说不如我们，也就算好了，比你姨娘强远了。你姨娘可怜见的，不大说话，和木头似的，在公婆跟前就不献好儿。凤儿嘴乖，怎么怨得人疼他。』宝玉笑道：『若这么说，不大说话的就不疼了？』贾母道：『不大说话的又有不大说话的可疼之处，嘴乖的也有一宗可嫌的，倒不如不说的好。』（善于言词与拙于言词，各有千秋。）宝玉笑道：『这就是了。我说大嫂子倒不大说话呢，老太太也是和凤姐姐的一样看待。若说单是会说话的可疼，这些姐妹里头也只凤姐姐和林妹妹可疼了。』（宝玉偏要提到林妹妹，可怜不识时务。）贾母道：『提起姊妹，不是我当着姨太太的面奉承，千真万真，从我们家里四个女孩儿算起，都不如宝丫头。』（既是闲话，也是投桃报李，更是由衷判定，有意透露『上意』。）薛姨妈听说，忙笑道：『这话是老太太说偏了。』王夫人忙又笑道：『老太太时常背地里和我说宝丫头好，这倒不是假话。』（王夫人也出来附和，情况更郑重了。）宝玉勾着贾母，原为要赞林黛玉的，不想反赞起宝钗来，倒也意出望外，便看着宝钗一笑。（此时黛玉倍添寂寞，与鹦鹉『对话』而已。钗黛对手的格局已形成。）宝钗早扭过头去和袭人说话去了。

忽有人来请吃饭，贾母方立起身来，命宝玉：『好生养着罢。』把丫头们嘱咐了一回，方扶着凤姐儿，让着薛姨妈，大家出房去了，犹问：『汤好了不曾？』又问薛姨妈等：『想什么吃，只管告诉我，我有本事叫凤丫头弄了来咱们吃。』薛姨妈笑道：『老太太也会怄他的，时常他弄了东西孝敬，究竟又吃不多。』凤姐儿笑道：『姑妈倒别这样说。我们老祖宗只是嫌人肉酸，若不嫌人肉酸，早已把我还吃了呢！』（凤姐在贾母面前时刻扮演总管兼弄臣的角色。当众这样调侃，就不仅是邀宠，而且是示宠显宠了。）

一句话没说了，引的贾母众人都哈哈的笑起来。宝玉在屋里也掌不住笑。袭人笑道：『真真的二奶奶的嘴，怕死人。』宝玉伸手拉着袭人笑道：『你站了这半日，可乏了。』一面说，一面拉他身旁坐下。袭人笑道：『可是又忘了，趁宝姑娘在院子里，你和他说，烦他们莺儿来打上几根绦子。』宝玉笑道：『亏你提起来。』说着，便仰头向窗外道：『宝姐姐，吃过饭叫莺儿来，烦他打几根绦子，可得闲儿？』宝钗听见，回头道：『怎么不得

闲儿？一会叫他来就是了。』贾母等尚未听真，都止步问宝钗。宝钗说明了，贾母便说道：『好孩子，你叫他来替你兄弟打几根。你要人使，我那里闲的丫头多着的呢。你喜欢谁，只管叫来使唤。』（宝玉这里果真常常需要劳务引进吗？还是以此为借口，变着法儿与各处女孩子调笑呢？）薛姨妈宝钗等都笑道：『只管叫他来做就是了，有什么使唤的去处。他天天也是闲着淘气。』大家说着，往前正走，忽见湘云、平儿、香菱等在山石边掐凤仙花呢，见了他们走来，都迎上来了。

少顷出至园外，王夫人恐贾母乏了，便欲让至上房内坐；贾母也觉脚酸，便点头依允。王夫人便命丫头忙先去铺设坐位。那时赵姨娘推病，只有周姨娘与那婆娘丫头们忙着打帘子，立靠背，铺褥子。贾母扶着凤姐儿进来，与薛姨妈分宾主坐了，薛宝钗史湘云坐在下面。（『红』描写坐的规矩坐的过程恁多！）王夫人亲捧了茶来，奉与贾母；李宫裁捧与薛姨妈。贾母向王夫人道：『让他们小妯娌伏侍，你在那里坐了，好说话儿。』王夫人方向一张小杌子上坐下，便吩咐凤姐儿道：『老太太的饭，放在这里，添了东西来。』凤姐儿答应出去，便命人去贾母那边告诉。那边的婆娘们忙往外传了，丫头们忙都赶过来，王夫人便命：『请姑娘们去。』请了半天，只有探春惜春两个来了；迎春身上不耐烦，不吃饭；林黛玉是不消说，十顿饭只好吃五顿，众人也不着意了。（林黛玉再次疏离在圈子外边。）

少顷饭至，众人调放了桌子，凤姐儿用手巾裹了一把牙箸，站在地下，笑道：『老祖宗和姨妈不用让，还听我说就是了。』贾母笑向薛姨妈道：『我们就是这样。』薛姨妈笑着应了，于是凤姐放下四双箸：上面两双是贾母薛姨妈，

两边是薛宝钗史湘云的。王夫人李宫裁等都站在地下，看着放菜。凤姐先忙着要干净家伙来，替宝玉拣菜。

少顷，莲叶汤来，贾母看过了，王夫人回头见玉钏儿在那里，便命玉钏与宝玉送去。凤姐道：『他一个人拿不去。』可巧莺儿和同喜儿都来了，宝钗知道他们已吃了饭，便同莺儿道：『宝二爷正叫你去打绦子，你们两个一同去罢。』莺儿答应着，同玉钏儿出来。莺儿道：『这么远，怪热的，怎么端了去？』玉钏笑道：『你放心，我自有道理。』说着，便命一个婆子来，将汤饭等类放在一个捧盒里，命他端了跟着，他两个却空着手走。（奴可使奴。无怪乎她们不愿被逐。）一直到了怡红院门口，玉钏儿方接了过来，同莺儿进入房中。袭人、麝月、秋纹三个人正和宝玉玩笑呢，见他两个来了，都忙起来笑道：『你们两个来的怎么碰巧，一齐来了？』一面说，一面接了下来。玉钏便向一张杌子上坐了，莺儿不敢坐下，袭人便忙端了个脚踏来，莺儿还不敢坐。宝玉见莺儿来了，却倒十分欢喜；见了玉钏儿，便想起他姐姐金钏儿来了，又是伤心，又是惭愧，便把莺儿丢下，且和玉钏儿说话。（害了金钏，享受玉钏，冷落了莺儿，唉！）袭人见把莺儿不理，恐莺儿没好意思的，又见莺儿不肯坐，便拉了莺儿出来，到那边屋里去吃茶说话儿去了。

这里麝月等预备了碗箸，来伺候吃饭。宝玉只是不吃，问玉钏儿道：『你母亲身上好？』玉钏儿满脸怒色，正眼也不看宝玉，半日，方说了一个『好』字。宝玉便觉没趣，半日，只得又陪笑问道：『谁叫你替我送来的？』玉钏儿道：『不过是奶奶太太们！』宝玉见他还是哭丧着脸，便知他是为金钏儿的原故，待要虚心下气哄他，又见人多，不好下气的，因而便寻方法，将人都支出去，然后又陪笑问长问短。（贾环告宝玉的状，并非无因。虽不能说金钏是因宝玉企图强奸而死，至少是因骚扰而死。）那玉钏儿先虽不欲理他，只管见宝玉一些性气也没有，凭他怎么丧谤，

还是温存和气，自己倒不好意思的了，脸上方有三分喜色。

宝玉便笑求他：『好姐姐，你把那汤端了来，我尝尝。』玉钏儿道：『我从不会喂人东西，等他们来了再吃。』宝玉笑道：『我不是要你喂我，我因为走不动，你递给我吃了，你好赶早回去交代了，你好吃饭的。我只管耽误了时候，你岂不饿坏了。你要懒怠动，我少不得忍了疼下去取来。』（宝玉见了玉钏，本应严肃、沉重、自责，一声不吭，无地自容的。如今犹自天真调笑，实说明了善良如宝玉，也还是在某方面视奴婢如草芥的残酷而自私的主子！）说着，便要下床来，扎挣起来，禁不住『嗳哟』之声。玉钏儿见他这般，忍耐不住，起身说道：『躺下去罢！那世里造下了业，这会子现世现报，叫我那一个眼睛看得上！』（主子的一个好脸，代价是奴才的一条命。）一面说，一面『哧』的一声又笑了，端过汤来。宝玉笑道：『好姐姐你要生气，只管在这里生罢，见了老太太、太太，可放和气些。若还这样，你就要挨骂了。』玉钏儿道：『吃罢，吃罢！不用和我甜嘴蜜舌的，我可不信这样话！』说着，催宝玉喝了两口汤，宝玉故意说：『不好吃，不好吃。』玉钏儿道：『阿弥陀佛！这还不好吃，什么好吃呢！』宝玉道：『一点味儿也没有，你不信尝一尝，就知道了。』玉钏儿果真赌气尝了一尝，宝玉笑道：『这可好吃了！』玉钏儿听说，方解过他的意思来，原是宝玉哄他吃一口。（宝玉赔补也罢，耐性也罢，体贴也罢，仍然不出二爷的圈，纨袴子弟的圈。从人道主义的观点看这一段，用一口汤的『奉献』来换回一条命的遗憾，这是令当今读者感到很不对味儿，很反感的。雪芹这样津津有味地写这些，实说明他也不懂得尊重金钏的生命价值。）便说道：『你既说不吃，这会子说好吃，也不给你吃了。』宝玉只管陪笑央

求要吃，玉钏儿又不给他，一面又叫人打发吃饭。丫头方进来时，忽有人来回话，说：『傅二爷家的两个嬷嬷来请安，来见二爷。』

宝玉听说，便知是通判傅试家的嬷嬷来了。那傅试原是贾政的门生，原来都赖贾家的名声得意，贾政也着实看待，与别的门生不同，他那里常遣人来走动。宝玉素昔最厌勇男蠢妇的，（宝玉最厌什么？他活在今日说不定要做变性手术。）今日却如何又命这两个婆子进来？其中原来有个原故：只因那宝玉闻得傅试有个妹子，名唤傅秋芳，也是个琼闺秀玉，传说才貌俱全，虽自未亲睹，然遐思遥爱之心，十分诚敬；（宝玉之泛爱真无涯也。宝玉也是人人爱我，我爱人人了。）不命他们进来，恐薄了傅秋芳，因此连忙命让进来。那傅试原是暴发的，因傅秋芳有几分姿色，聪明过人，那傅试安心仗着妹子，要与豪门贵族结亲，不肯轻意许人，所以耽误到如今。目今傅秋芳已二十三岁，尚未许人。怎奈那些豪门贵族，又嫌他本是穷酸，根基浅薄，不肯求配。那傅试与贾家亲密，也自有一段心事。

今日遣来的两个婆子，偏生是极无知识的，闻得宝玉要见，进来，只刚问了好，说了没两句话，那玉钏儿见生人来，也不和宝玉厮闹了，手里端着汤，却只顾听。宝玉又只顾和婆子说话，一面吃饭，伸手去要汤，两个人的眼睛都看着人，不想伸猛了手，便将碗撞翻，将汤泼了宝玉手上。玉钏儿倒不曾烫着，吓了一跳，忙笑道：『这是怎么了？』慌的丫头们忙上来接碗。宝玉自己烫了手，倒不觉的，只管问玉钏儿：『烫了那里了？疼不疼？』（成为担心龄官受雨那一段的再现与变奏。莲叶羹是物质食粮，与玉钏的调笑才是精神食粮。）玉钏儿和众人都笑了。玉钏儿道：『你自己烫了，只管问我。』宝玉听了，方觉自己烫了。众人上来，连忙收拾。宝玉也不吃饭了，洗手吃茶，又和那两个婆子说了两句话，然后婆子告辞出去。晴雯等送至桥边方回。

那两个婆子见没人了，一行走，一行谈论，这一个笑道：『怪道有人说他们家宝玉是相貌好，里头糊涂，中看不中吃的，果然竟有些呆气。他自己烫了手，倒问别人疼不疼，这可不是呆子？』那个又笑道：『我前一回来，听见他家里许多人抱怨，千真万真的有些呆气。大雨淋的水鸡似的，他反告诉别人：「下雨了，快避雨去罢。」你说可笑不可笑？时常没人在跟前，就自哭自笑的；看见燕子就和燕子说话，河里看见了鱼就和鱼儿说话，见了明星月亮，他便不是长吁短叹的，就是咕咕哝哝的。且一点刚性也没有，连那些毛丫头的气都受到了。爱惜起东西来，连个线头都是好的；遭塌起来，那怕值千值万的，都不管了。』（从两个婆子眼光中，再说说宝玉，竭力渲染其独特风格。）两个人一面说，一面走出园来回去，不在话下。（宝玉的心理状态或可谓不无病态之处。但这两个婆子的议论，表达的那种愚蠢与呆板，又应该由哪里的心理医生来治疗呢？或者可问，究竟是谁的心理缺陷更严重，更难治疗些呢？）

且说袭人见人去了，便携了莺儿过来，问宝玉：『打什么绦子？』宝玉笑向莺儿道：『才只顾说话，就忘了你。烦你来，不为别的，替我打几根络子。』莺儿道：『装什么的络子？』宝玉见问，便笑道：『不管装什么的，你都每样打几个罢。』莺儿拍手笑道：『这还了得！要这样，十年也打不完了。』宝玉笑道：『好姐姐，你闲着也没事，都替我打了罢。』袭人笑道：『那里一时都打得完？如今先拣要紧的打两个罢。』莺儿道：『什么要紧，不过是扇子，香坠儿，汗巾子。』（又讲起编织艺术或者工艺美术来了。果然面面俱到，万物皆备于『红』。）宝玉道：『汗巾子就好。』莺儿道：『汗巾子是什么颜色？』宝玉道：『大红的。』莺儿道：『大红的须是黑络子才好看；或是石青的，才压得住颜色。』宝玉道：『松花色配什么？』莺儿道：『松花配桃红。』宝玉笑道：『这才姣艳。再要雅淡之中带些姣艳。』莺儿道：『葱绿柳黄我是最爱的。』宝玉道：『也罢了。也打一条桃红，再打一条葱绿。』莺儿道：『什么花样呢？』宝玉道：『也有几样花样？』莺儿道：『「一炷香」「朝天凳」「象眼块」「方胜」「连环」「梅花」「柳叶」。』宝玉道：『前儿你替三姑娘打的那花样是什么？』莺儿道：『是「攒心梅花」。』（这样的手工技艺，今日还有吗？）宝玉道：『就是那样好。』一面说，一面袭人刚拿了线来。窗外婆子说：『姑娘们的饭都有了。』宝玉道：『你们吃饭去，快吃了来罢。』袭人笑道：『有客在这里，我们怎好去的？』莺儿一面理线，一面笑道：『这话又打那里说起？正经快吃了来罢。』袭人等听说，方去了，留下两个小丫头呼唤。

宝玉一面看莺儿打络子，一面说闲话。因问他：『十几岁了？』莺儿手里打着，一面答话：『十五岁了。』宝玉道：『你本姓什么？』莺儿道：『姓黄。』宝玉笑道：『这个名姓倒对了，果然是个「黄莺儿」。』莺儿笑道：『我的名字本来是两个字，叫做金莺，姑娘嫌拗口，只单叫莺儿，如今就叫开了。』宝玉道：『宝姐姐也就算疼你了。明儿宝姐姐出嫁，少不得是你跟去了。』（想到哪里去了？）莺儿抿嘴一笑。宝玉笑道：『我常常和袭人说，明儿也不知那一个有福的消受你们主儿两个呢。』莺儿笑道：『你还不知我们姑娘，有几样世上人都没有的好处呢，模样儿还在其次。』宝玉见莺儿姣腔婉转，语笑如痴，早不胜其情了，那堪更提起宝钗来？（宝玉的意淫堪称登峰造极。可笑可叹复又可厌。）便问道：『他好处在那里？好姐姐告诉我听。』莺儿道：『我告诉你，你可不许又告诉他去。』宝玉笑道：『这个自然的。』

正说着，只听见外头说道：『怎么这样静悄悄的！』二人回头看时，不是别人，正是宝钗来了。宝玉忙让坐。宝钗坐了，因问莺儿：『打什么呢？』一面问，一面向他手里去瞧，才打了半截。宝钗笑道：『这有什么趣儿，倒不如打个络子，把玉络上呢。』（宝钗直取其玉。宝玉忘玉，宝钗念玉。）一句话提醒了宝玉，便拍手笑道：『倒是姐姐说得是，我就忘了。只是配个什么颜色才好？』宝钗道：『若用杂色断然使不得，大红又犯了色，黄的又不起眼，黑的又太暗。等我想个法儿，把那金线拿来配着黑珠儿线，一根一根的拈上，打成络子，那才好看。』（是早有分析论证了么？怎么想得这样充分？）

宝玉听说，喜之不尽，一叠连声就叫袭人来取金线。（玉需金线，更需金锁。）正值袭人端了两碗菜走进来，告诉宝玉道：『今儿奇怪，刚才太太打发人替我送了两碗菜来。』宝玉笑道：『必定是今儿菜多，送给你们大家吃的。』袭人道：『不是，指名给我送来，还不叫我过去磕头，这可是奇了。』（袭人赢得了特殊补贴。）宝钗笑道：『给你的你就吃去，这有什么猜疑的。』袭人道：『从来没有的事，倒叫我不好意思的。』宝钗抿嘴一笑，说道：『这就不好意思了？明儿还有比这个更叫你不好意思的呢。』（宝钗为何了如指掌？宝钗已经与王夫人商议过如何加赏袭人了么？）袭人听了话内有因，素知宝钗不是轻嘴薄舌奚落人的，自己想起上日王夫人的意思来，便再不提。将菜与宝玉看了，（将菜与宝玉看，有让宝玉了解对袭人的特殊恩宠的意思。）说：『洗了手来拿线。』说毕，便一直出去了。

吃过饭，洗了手进来，拿金线与莺儿打络子。此时宝钗早被薛蟠遣人来请出去了。

这里宝玉正看着打络子，忽见邢夫人那边遣了两个丫头送了两样果子来与他吃，问他：『可走得了？若走得动，叫哥儿明儿过去散散心，太太着实记挂着呢。』宝玉忙道：『若走得了，必定过来请太太的安去。疼的比先好些，请太太放心罢。』一面叫他两个坐下，一面又叫：『秋纹来，把才那果子拿一半送与林姑娘去。』秋纹答应了，刚欲去时，只听黛玉在院内说话，宝玉忙叫：『快请。』要知端的，且看下回分解。

其实，黛玉亦常有与众同乐的机会。但这一回突出了她的冷落与宝玉这里的红火。直到此时，宝玉对于异性真是『吃』着这个拿着那个，揣着一个望着一个，天真烂漫，体贴忘我，而又是自我中心，精神受用。至少是精神的慰藉与弥补，宝玉的精神生活，其实大荒，荒芜空虚得可怕。这也是爱么？是奉献也是自私，是宝玉的享乐。有人说他嗔他瞧不起他对他哭笑不得，但实际还是宠他爱他哄他亲他，没有哪个女孩子真的厌他恨他。客观上呢，他爱了谁就害了谁，不独金钏。思之令人毛骨悚然。爱情就是这样的，爱情的形象不仅有美好的一面。

又撤出去了。薛家三口的矛盾其实无是无非。宝玉除黛玉外惦记着宝钗、莺儿、傅秋芳、玉钏，看来一顿臭揍的效果是零。贾府果然是后继无人喽！

第三十六回 绣鸳鸯梦兆绛芸轩 识分定情悟梨香院

话说贾母自王夫人处回来，见宝玉一日好一日，心中自是欢喜，因怕将来贾政又叫他，遂命人将贾政的亲随小厮头儿唤来，吩咐：『他以后倘有会人待客诸样的事，你老爷要叫宝玉，你不用上来传话，就回他说我说的：一则打重了，得着实将养几个月才走得；二则他的星宿不利，祭了星，不见外人，过了八月，才许出二门。』（整个一个不讲理的理。）那小厮头儿听了，领命而去。贾母又命李嬷嬷袭人等来将此话说与宝玉，使他放心。

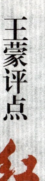

那宝玉素日本就懒与士大夫诸男人接谈，又最厌峨冠礼服贺吊往还等事；今日得了这句话，越发得了意，不但将亲戚朋友一概杜绝了，而且连家庭中晨昏定省，一发都随他的便了，日日只在园中游玩坐卧，不过每日一清早到贾母王夫人处走走就回来了。却每日甘心为诸丫头充役，竟也得十分消闲日月。（彻底解放了。）或如宝钗辈有时见机劝导，反生起气来，只说：『好好的一个清净洁白女子，也学的钓名沽誉，入了国贼禄鬼之流。这总是前人无故生事，立意造言，原为引导后世的须眉浊物。不想我生不幸，亦且琼闺绣阁中亦染此风，真真有负天地钟灵毓秀之德！』（与其说是反封建不如说是一种反文化的性格。资本主义、社会主义同样无法容忍贾宝玉的性格与道路。按照社会主义的要求，宝玉只合批倒批臭后送去劳教五年。文化的两重性——满足人性而又约束乃至戕害人性。『红』有所反映，不简单。）众人见他如此疯癫，也都不向他说正经话了。独有林黛玉自幼不曾劝他去立身扬名，所以深敬黛玉。

贾政对宝玉的『教育』彻底失败了。第一，宝玉有贾母的护持。贾政要尽孝，就不能违背贾母的旨意。其实他痛打宝玉时已表露了对于贾母王夫人娇纵宝玉的极端不满。较量的结果，他败了。第二，整个环境与贾政的教育脱节，贾政的正统脱离了生活，没有了生命力。第三，即使钗、袭等正统派及在正统方面毫不逊色的王夫人，也不支持贾政的强硬做法。第四，打本身就解决不了『思想问题』。第五，宝玉的性格、『世界观』已经形成，他与贾政的对立已经无法挽回。呜呼贾政，回天无力矣。

闲言少述。如今且说王凤姐自见金钏儿死后，忽见几家仆人常来孝敬他些东西，又不时的来请安奉承，自己倒生了疑惑，不知何意。这日又见人来孝敬他东西，因晚间无人时，笑问平儿。平儿冷笑道：『奶奶连这个都想不起来了？我猜他们的女儿，都必是太太房里的丫头，如今太太房里有四个大的，一个月一两银子的分例，下剩的都是一个月只几百钱。如今金钏儿死了，必定他们要弄这一两银子的巧宗儿呢。』（求职。）凤姐听了，笑道：『是了，是了，倒是你提醒了我。看来这起人也太不知足，钱也赚够了，苦事情又摊不着，弄个丫头搪塞身子就罢了，又要想这个。也罢了，他们几家的钱也不能容易花到我跟前，这可是他们自寻的，送什么来我就收什么，横竖我有主意。』（来者不拒，善财难舍，蚀本活该。凤姐不是没理，却毕竟刻薄了些。）凤姐儿安下这个心，所以只管耽延着，等那些人把东西送足了，然后乘空方回王夫人。

这日午间，薛姨妈母女两个与林黛玉等正在王夫人房里，大家吃西瓜。凤姐儿得便回王夫人道：『自从玉钏儿的姐姐死了，太太跟前少着一个人，太太或看准了那个丫头，就吩咐了，下月好发放月钱。』王夫人听了，想了一想道：『依我说，什么是例，必定四个五个的？够使就罢了，竟可以免了罢。』（用人不按需要，而按规格，也属弊端。）凤姐笑道：『论理，太太说的也是；只是原是旧例，别人屋里还有两个哩，太太倒不按例了。况且省下一两银子，也有限的。』王夫人听了，又想了想，道：『也罢，这个分例只管关了来，不用补人，就把这一两银子给他妹妹玉钏儿罢。他姐姐伏侍了我一场，没个好结果，剩下他妹妹跟着我，吃个双分子也不为过。』凤姐答应着，回头望着玉钏儿笑道：『大喜，大喜。』（这样的大喜！玉钏也认为是大喜吧？何等地不觉悟也。）玉钏儿过来磕了头。王夫人又问道：『正要问你：如今赵姨娘周姨娘的月例多少？』凤姐道：『那是定例，每人二两。赵姨娘有环兄弟的二两，共是四两，另外四串钱。』王夫人道：『月月可都按数给他们？』凤姐见问得奇，忙道：『怎么不按数给！』王夫人道：『前儿恍惚听见有人抱怨，说短了一串钱，是什么原故？』凤姐忙笑道：『姨娘们的丫头月例，原是人各一吊钱，从旧年他们外头商议的，姨娘们每位丫头，分例减半，人各五百钱。每位两个丫头，所以短了一吊钱。这也抱怨不着我，我倒乐得给呢，他们外头又扣着，我难道添上不成！这个事我不过是接手儿，怎么来，怎么去，由不得我做主。我倒说了两三回，仍旧添上这两分儿的为是；他们说：「只有这个数。」叫我难再说了。如今我手里每月连日子都不错给他们呢，先时在外头关，那个月不打饥荒？何曾顺顺溜溜的得过一遭儿。』（问题在哪里？谁有『猫儿腻』？王熙凤的诉苦有其实情，但无论多『苦』多穷，她照样中饱舞弊。）

王夫人听说，就停了半晌，（停了半晌，是且信且疑吗？）又问：『老太太屋里几个一两的？』凤姐道：『八个。如今只有七个，那一个是袭人。』（袭人的待遇高于其他七个大丫头。）王夫人道：『这就是了。你宝兄弟也并没有一两的丫头，袭人还算老太太房里的人？』凤姐笑道：『袭人还是老太太的人，不过给了宝兄弟使，他这一两银子还在老太太的丫头分例上领。如今说因为袭人是宝玉的人，裁了这一两银子，断乎使不得。若说再添一个人给老太太，这个还可以裁他的。若不裁他的，须得环兄弟屋里也添上一个，才公道均匀了。就是晴雯、麝月等七个大丫头，每月人各月钱一吊，佳蕙等八个小丫头们，每月人各月钱五百，还是老太太的话，别人如何恼得气得呢。』（照顾各方面，也是摆平之意。）薛姨妈笑道：『只听凤丫头的嘴，倒像倒了核桃车子似的，只听他的账也清楚，理也公道。』凤姐笑道：『姑妈，难道我说错了不成？』薛姨妈笑道：『说的何尝错，只是你慢些说，岂不省力！』（慢些省力，这里有一点东方哲学。）凤姐才要笑，忙又忍住了，听王夫人示下。王夫人想了半日，向凤姐道：『明儿挑一个丫头送去老太太使唤，补袭人，把袭人的一分裁了。把我每月的月例二十两银子里，拿出二两银子一吊钱来，给袭人去。以后凡事有赵姨娘周姨娘的，也有袭人的，只是袭人的这一分，都从我的分例上匀出来，不必动官中的就是了。』（袭人本来特殊，如今更是特而又特，补了又补了。对袭人的情更重，不但接受公补，而且接受私补，恩重如山。）

凤姐一一的答应了，笑推薛姨妈道：『姑妈听见了，我素日说的话何如？今儿果然应了我的话。』薛姨妈道：『早就该如此。模样儿自然不用说的，他的那一种行事大方，说话见人和气，里头带着刚硬要强，这个实在难得。』（薛姨妈居然也介入表态，自然宝钗就门儿清了。）王夫人含泪说道：『你们那里知道袭人那孩子的好处？比我的宝玉强十倍！宝玉果然是有造化的，能够得他长长远远的伏侍一辈子，也就罢了。』（王夫人含泪赞袭人，昏得可以。何以激动至此？千实事不若进虚言，诚然。）凤姐道：『既这么样，就开了脸，明放他在屋里岂不好？』王夫人道：『这不好：一则年轻，二则老爷也不许，三则那宝玉见袭人是他丫头，纵有放纵的事，倒能听他的劝，如今做了跟前人，那袭人该劝的也不敢十分劝了。如今且浑着，等再过二三年再说。』（模糊处理，『红』已有之。挂起来更易控制。）

袭人以奴婢之身不但获殊荣，得殊赏，而且能感动得王夫人哭，乃至给以『比宝玉强十倍』的评价。了不得也。这就是文化的力量。

袭人认认真真地站在正统上，立得稳，说得正，线直接挂到王夫人、宝钗处，一身『正』气，着实可敬可畏！

说毕，凤姐见无话，便转身出来，刚至廊檐上，只见有几个执事的媳妇子正等他回事呢；见他出来，都笑道：『奶奶今儿回什么事，说了这半天？可不要热着。』（大事。对宝玉身边人员的安排关系着贾家的未来，故是大事。以执事媳妇子的反映烘托之，烘云托月。）凤姐把袖子挽了几挽，跐着那角门的门槛子，笑道：『这里过堂风，倒凉快，吹一吹再走。』又告诉众人道：『你们说我回了这半日的话，太太把二百年的事都想起来问我，难道我不说罢？』又冷笑道：『我从今以后，倒要干几件刻薄事了。抱怨给太太听，我也不怕！糊涂油蒙了心、烂了舌头、不得好死的下作东西们，别做娘的春梦了！明儿一裹脑子扣的日子还有呢。如今裁了丫头的钱，就抱怨了咱们。也不想想自己，也配使三个丫头！』（是说赵姨娘吗？或者与别的姨娘也有矛盾？凤姐的骂有因心中有鬼而恼羞成怒与一不做二不休的意思，也算强人性情，唯缺少留有余地的分寸感。）一面骂，一面方走了，自去挑人回贾母话去，不在话下。

却说薛姨妈等这里吃毕西瓜，又说了一回闲话，各自方散去。宝钗与黛玉等回至园中，宝钗因约黛玉往藕香榭去，黛玉因说：『立刻要洗澡。』便各自散了。宝钗独自行来，顺路进了怡红院，意欲寻宝玉去谈讲，以解午倦。

不想一入院中，鸦雀无闻，一并连两只仙鹤在芭蕉下都睡着了。（仙鹤在芭蕉下睡着了，说法很美。）宝钗便顺着游廊，来至房中，只见外间床上横三竖四，都是丫头们睡觉。（丫头们似也闲适，远胜务农做工。）转过十锦槅子，来至宝玉的房内，宝玉在床上睡着了，袭人坐在身旁，手里做针线，傍边放着一柄白犀麈。

宝钗走近前来，悄悄的笑道：『你也过于小心了，这个屋里还有苍蝇蚊子，还拿蝇刷子赶什么？』袭人不防，猛抬头见是宝钗，忙放针线起身，悄悄笑道：『姑娘来了，我倒不防，唬了一跳。姑娘不知道，虽然没有苍蝇蚊子，谁知有一种小虫子，从这纱眼里钻进来，人也看不见，只睡着了，咬一口，就像蚂蚁叮的。』（是『小咬』吗？）宝钗道：『怨不得。这屋子后头又近水，又都是香花儿，这屋子里头又香，这种虫子都是花心里长的，闻香就扑。』

说着，一面就瞧他手里的针线，原来是个白绫红里的兜肚，上面扎着鸳鸯戏莲的花样，红莲绿叶，五色鸳鸯。（『红一支笔，无所不至。性感得很。）宝钗道：『嗳哟，好鲜亮活计！这是谁的，也值的费这么大工夫？』袭人向床上呶嘴儿。宝钗笑道：『这么大了，还带这个？』（想到哪里了呢？）袭人笑道：『他原是不带，所以特特的做的好了，叫他看见，由不得不带。如今天热，睡觉都不留神，哄他带上了，便是夜里纵盖不严些儿，也就罢了。你说这一个就用了工夫，还没看见他身上带的那一个呢。』（确实尽心，服务意识极强。恐也是对特补的报答。）宝钗笑道：『也亏你耐烦。』袭人道：『今儿做的工夫大了，脖子低的怪酸的。』又笑道：『好姑娘，你略坐一坐，我出去走走就来。』说着，就走了。宝钗只顾看着活计，便不留心，一蹲身，刚刚的也坐在袭人方才坐的那个所在，因又见那个活计实在可爱，

不由的拿起针来，就替他作。（不由得接上了袭人的活计、思路，并非仅是因为活计可爱，实是引为同道之意。）

不想林黛玉因遇见史湘云，约他来与袭人道喜，二人来至院中，见静悄悄的，湘云便转身先到厢房里去找袭人。林黛玉却来至窗外，隔着窗纱往里一看，只见宝玉穿着银红纱衫子，随便睡着在床上，宝钗坐在身旁做针线，傍边放着蝇刷子。（这个场面未免直露，与宝钗的韬光养晦风格不同，故令黛玉好笑。）

林黛玉见了这个景儿，连忙把身子一藏，手握着嘴，不敢笑出来，招手儿叫湘云。湘云一见他这般光景，只当有什么新闻，忙也来一看，也要笑时，忽然想起宝钗素日待他厚道，便忙掩住口。（平日烧香，自有厚报。）知道黛玉口里不让人，怕他取笑，便忙拉过他来，道：『走罢。我想起袭人来，他说午间要到池子里去洗衣裳，想必去了，咱们那里找他去。』黛玉心下明白，冷笑了两声，只得随他走了。（冷笑太多，不是好事。）

这里宝钗只刚做了两三个花瓣，忽见宝玉在梦中喊骂，说：『和尚道士的话如何信得？什么是「金玉姻缘」？我偏说是「木石姻缘」！』（无一日稍忘，无一时稍忘。）薛宝钗听了这话，不觉怔了。忽见袭人走进来，笑道：『还没有醒呢？』宝钗摇头。袭人又笑道：『我才碰见林姑娘史大姑娘，他们可曾进来？』宝钗道：『没见他们进来。』因向袭人笑道：『他们没告诉你什么？』袭人红了脸，笑道：『总不过是他们那些玩话，有什么正经说的。』（虽然得宠，仍然低调。）宝钗笑道：『今儿他们说的可不是玩话，我正要告诉你呢，你又忙忙的出去了。』

作者偏让宝玉在此时说此梦话，使矛盾更加激化了。这种情节最不像写实，不像有生活依据，而像小说家的纯然虚构。莫非是宝玉假梦话以说给宝钗听？也不甚像，宝玉毋宁是欢迎宝钗对他有情的。宝玉批判正统观念的最高标准，大胆而又巧妙。他是以更加

忠君爱国的面貌来批评为君为国而死的英雄的。）

一句话未完，只见凤姐打发人来叫袭人。宝钗笑道：『就是为那话了。』袭人只得唤起两个丫头来，一同宝钗出怡红院，自往凤姐这里来。果然是告诉他这话，又教他与王夫人磕头，且不必去见贾母，倒把袭人不好意思的。及见过王夫人急忙回来，宝玉已醒了，问起原故，袭人且含糊答应。至夜间人静，袭人方告诉了。

宝玉喜不自禁，又向他笑道：『我可看你回家去不去了！那一回往家里走了一趟，回来就说你哥哥要赎你，又说在这里没着落，终久算什么，说那些无情无义的生分话唬我，从今以后我可看谁来敢叫你去？』（宝玉何得意忘形之有？）袭人听了，便冷笑道：『你倒别这么说。从此以后，我是太太的人了，我要走，连你也不必告诉，只回了太太便走。』（这话厉害。）宝玉笑道：『便就算我不好，你回了太太竟去了，叫别人听见，说我不好，你去了，你也没意思。』袭人笑道：『有什么没意思？难道强盗贼我也跟着罢？再不然，还有一个死呢！人活一百岁，横竖要死，这一口气不在，听不见，看不见，就罢了。』（表示要坚持原则，要求宝玉改弦更张。堂堂袭人，怎会言重至此？不是出格了吗？是她得了特补以后壮了胆气，开始收拾宝玉了吗？）宝玉听见这话，便忙握他的嘴，说道：『罢，罢，罢！不用你说这些话了。』袭人深知宝玉性情古怪，听见奉承吉利话，又厌虚而不实；听了这些尽情实话，又生悲感。便后悔自己冒撞了，连忙笑着，用话截开，只拣那宝玉素日喜欢的春风秋月，再谈及粉淡脂红，然后谈到女儿如何好。不觉又谈到女儿死，袭人忙掩住口。

宝玉听至浓快处，见他不说了，便笑道：『人谁不死？只要死的好。那些个须眉浊物只知道「文死谏」「武死战」这二死是大丈夫死名死节，究竟何如不死的好！（从死到不死，宝玉的思路不无道理。）必定有昏君他方谏，只顾他邀名，猛拚一死，将来置君于何地？必定有刀兵，他方战，猛拚一死，他只顾图汗马之名，将来弃国于何地？所以这皆非正死。』袭人道：『忠臣良将皆出于不得已他才死。』（老子的名言：『国家昏乱，必有忠臣。』）宝玉道：『那武将不过仗血气之勇，疏谋少略，他自己无能，送了性命，这难道也是不得已？那文官更不比武官了，他念两句书，记在心里，若朝廷少有瑕疵，他就胡谈乱谏，只顾他邀忠烈之名，浊气一涌，即时拚死，这难道也是不得已？还要知道那朝廷是受命于天，他非圣人，那天也断断不把这万几重任与他了。可知那些死的，都是沽名，并不知大义。（宝玉讲得确有一个方面的道理。这道理相当老到，不像宝玉自己想出来的，倒像曹公的思忖，『请』宝二爷代他说出来的。）比如我此时若果有造化，该死于时的，如今趁你们在，我就死了，再能够你哭我的眼泪，流成大河，把我的尸首漂起来，送到那鸦雀不到的幽僻之处，随风化了，自此再不要托生为人，就是我死的得时了。』（常怀千古忧，如何同销万古愁？）袭人忽见说出这些疯话来，忙说：『困了。』不理他。那宝玉方合眼睡着。次日也就丢开了。

宝玉这一段『死论』很有名，也很重要。尤其是『自此再不要托生为人』云云，彻底否定生命的意义，这在中国是非常罕见，非常异端的。盖探讨生命的终极意义不是我们的传统，立德立功立言，起码要传宗接代，延续香火，这在国人中从来是毋庸讨论的。

一日，宝玉因各处游的腻烦，便想起《牡丹亭》曲子来，自己看了两遍，犹不惬怀，（宝玉的青春期烦恼症，绵绵不绝。）因闻得梨香院的十二个女孩儿中，有小旦龄官，最是唱的好，因着意出角门来找时，只见宝官、玉官都在院内，差外面诸事，不及细述。（适当找补找补，避免疏漏空白。对宝玉挨打及前前后后的种种人际矛盾描写之后，写一写大观园的诗歌娱乐活动，既展示了生活的另一个侧面，也变化了节奏，由疾而舒。写出生活的多方面的特性，多方面的色彩，这是长篇小说的一大优势。如是短篇结构，这些枝枝杈杈就都成了赘疣了。）

单表宝玉自贾政起身之后，每日在园中任意纵性游荡，真把光阴虚度，岁月空添。（挨打的阴影消散，快乐高雅的生活开始。）这日甚觉无聊，便往贾母王夫人处来混了一混，仍旧进园来了。刚换了衣裳，只见翠墨进来，手里拿着一幅花笺，送与他。宝玉因道：『可是我忘了，要瞧瞧三妹妹去的，可好些了？你偏走来。』翠墨道：『姑娘好了，今儿也不吃药了，不过是凉着一点儿。』

宝玉听说，便展开花笺看时，上面写道：

妹探谨启

二兄文几：前夕新霁，月色如洗，因惜清景难逢，未忍就卧，漏已三转，犹徘徊桐槛之下，竟为风露所欺，致获采薪之患。昨亲劳抚嘱，已复遣侍儿问切，兼以鲜荔并真卿墨迹见赐，抑何惠爱之深耶！今因伏几处默，忽思历来古人，处名攻利敌之场，犹置些山滴水之区，远招近揖，投辖攀辕，务结二三同志，（同志！按，《国语》上已有『同心则同志』之语，同志同志，也是源远流长。）盘桓其中，或竖词坛，或开吟社，虽因一时之偶兴，每成千古之佳谈。妹虽不才，幸叨陪泉石之间，兼慕薛林雅调。风庭月榭，惜未宴及诗人；帘杏溪桃，或可醉飞吟盏。孰谓雄才莲社，独许须眉；不教雅会东山，让余脂粉耶？若蒙造雪而来，敢请扫花以俟。谨启。（会了字儿就要用字儿，有些用文字表达的东西，反是口语表达不好的了。文字本是表达口头语言的，但成为文字后，更凝固也更精练，更郑重也更雅致，故近在咫尺，也有通信的需要。）

宝玉看了，不觉喜的拍手笑道：『倒是三妹妹高雅，我如今就去商议。』一面说，一面就走，翠墨跟在后面。刚到了沁芳亭，只见园中后门上值日的婆子手里拿着一个字帖儿走来，见了宝玉，便迎上去，口内说道：『芸哥儿请安，在后门等着呢。这是叫我送来的。』宝玉打开看时，写道：

不肖男芸恭请

父亲大人万福金安：男思自蒙天恩，认于膝下，日夜思一孝顺，竟无可孝顺之处。前因买办花草，上托大人洪福，竟认得许多花儿匠，并认得许多名园。前因忽见有白海棠一种，不可多得，故变尽方法，只弄得两盆。大人若视男是亲男一般，便留下赏玩。（此信读来恶心，但这一类无耻巴结做法仍未见绝迹。攀高枝，捧臭脚，虽然不堪，仍然有效。）因天气暑热，恐园中姑娘们不便，故不敢面见。奉书恭启，并叩

台安

男芸跪书。一笑。

宝玉看了，笑问道：（宝玉看了也笑，所谓官不打送礼的也。宝玉并非利欲熏心之人，仍不能免俗，仍是闻阿谀而笑。）『独他来了，还有什么人？』婆子道：『还有两盆花儿。』宝玉道：『你出去说：我知道了，难为他想着。你就把花儿送到我屋里去就是了。』一面说，一面同翠墨往秋爽斋来，只见宝钗、黛玉、迎春、惜春已都在那里了。

众人见他进来，都大笑说：『又来了一个。』探春笑道：『我不算俗，偶然起了个念头，写了几个帖儿试一

试，谁知一招皆到。』宝玉笑道：『可惜迟了，早该起个社的。』（组织文学社团。）黛玉说道：『此时还不算迟，也没什么可惜，但是你们只管起社，可别算我，我是不敢的。』迎春笑道：『你不敢，谁还敢呢？』宝玉道：『这是一件正经大事，大家鼓舞起来，不要你谦我让的，各有主意，只管说出来，大家评论。宝姐姐也出个主意，林妹妹也说句话儿。』（要鼓舞。气可鼓，不可泄。）宝钗道：『你忙什么，人还不全呢。』一语未了，李纨也来了，进门笑道：『雅的很呀！要起诗社，我自举我掌坛。前儿春天，我原有这个意思的，我想了一想，我又不会做诗，瞎闹些什么，因而也忘了，就没有说，既是三妹妹高兴，我就帮着你作兴起来。』（正因不会做诗，所以自举掌坛，有趣，合理。）

黛玉道：『既然定要起诗社，咱们就是诗翁了，先把这些『姐妹叔嫂』的字样改了，才不俗。』李纨道：『极是！何不起个别号，彼此称呼倒雅。我是定了『稻香老农』，再无人占的。』（中国式的笔名之滥觞。『农』贴近自然，称『老农』有雅气。）探春笑道：『我就是『秋爽居士』罢。』宝玉道：『『居士』『主人』，到底不确，又累赘。这里梧桐芭蕉尽有，或指梧桐芭蕉起个倒好。』探春笑道：『有了，我最喜芭蕉的，就称『蕉下客』罢。』众人都道：『别致有趣。』

黛玉笑道：『你们快牵了他去，炖了肉脯子来吃酒。』众人不解，黛玉笑道：『庄子云『蕉叶覆鹿』，他自称『蕉下客』，可不是一只鹿么？快做了鹿脯来！』（读书强记，又善于联想。）众人听了，都笑起来。探春因笑道：『你别忙使巧话来骂人，我已替你想了个极当的美号了。』又向众人道：『当日娥皇女英洒泪在竹上成斑，故今斑竹又名湘妃竹，如今他住的是潇湘馆，他又爱哭，将来他那竹子想来也是要变成斑竹的，以后都叫他做『潇湘妃子』就完了。』大家听说，都拍手叫妙。黛玉低了头，也不言语。（低头不语？可能认为潇湘不祥，也可能觉得妃子不好听。）

李纨笑道：『我替薛大妹妹也早已想了个好的，也只三个字。』众人忙问：『是什么？』李纨道：『我是封他为『蘅芜君』，不知你们以为如何？』探春道：『这个封号极好。』

宝玉道：『我呢？你们也替我想一个。』宝钗笑道：『你的号早有了，『无事忙』三字恰当得很。』（宝钗的调侃甚好。宝玉确是无事忙。宝钗调侃中有规劝宝玉找点正经事做之意。）李纨道：『你还是你的旧号『绛洞花主』就是了。』

宝玉笑道：『小时候干的营生，还提他做什么。』探春道：『你的号多得很，又起什么？我们爱叫你什么，你就答应着就是了。』宝钗道：『还得我送你个号罢，有最俗的一个号，却于你最当。天下难得的是富贵，又难得的是闲散，这两样再不能兼有，不想你兼有了，就叫你『富贵闲人』也罢了。』（先说无事忙，又恐宝玉不乐意，再说富贵闲人，恭维两句，往回拉一拉。）宝玉笑道：『当不起，当不起！倒是随你们混叫去罢。』

李纨道：『二姑娘，四姑娘，起个什么？』迎春道：『我们又不大会诗，白起个号做什么！』探春道：『虽如此，也起个才是。』宝钗道：『他住的是紫菱洲，就叫他『菱洲』；四丫头住藕香榭，就叫他『藕榭』就完了。』（宝钗何包办了命名？而黛玉话不多，她不喜欢『潇湘妃子』的不祥意味吗？）

李纨道：『就是这样好。但序齿我大，你们都要依我的主意，管教说了，大家合意。我们七个人起社，我和二姑娘四姑娘都不会做诗，须得让出我们三个人去。我们三个人各分一件事。』探春笑道：『已有了号，还只管这样称呼，不如不有了。以后错了，也要立个罚约才好。』李纨道：『立定了社，再定罚约。我那里地方大，竟在我那里作社。我虽不能做诗，这些诗人竟不厌俗，容我做个东道主人，我自然也清雅起来了；若是要推我做社长，我一个社长，自然不够，必要再请两位副社长，就请菱洲藕榭二位学究来，一位出题限韵，一位誊录监场。（一正二副好。由不会做诗的人担任诗社『领导』也好，可见领导就是服务，外行正宜领导。四个专业，三个行政，比例如何？）亦不可拘定了我们三个不做，若遇见容易些的题目韵脚，我们也随便做一首，你们四个却是要限定的。若如此便起，若不依我，我也不敢附骥了。』

迎春惜春本性懒于诗词，又有薛林在前，听了这话，便深合己意，二人皆说：『是极。』探春等也知此意，见他二人悦服，也不好强，只得依了。因笑道：『这话罢了。只是自想好笑，好好的我起了个主意，反叫你们三个来管起我来了。』（发起的人不必与管事的人重合。）宝玉道：『既这样，咱们就往稻香村去。』李纨道：『都是你忙。今日不过商议了，等我再请。』宝钗道：『也要议定几日一会才好。』探春道：『若只管会多，又没趣了。一月之中，只可两三次。』宝钗说道：『一月只要两次就够了。拟定日期，风雨无阻。除这两日外，倘有高兴的，他情愿加一社的，或请到他那里去，或附就了来，亦可使得，岂不活泼有趣？』众人都道：『这个主意最好。』（除了定期活动，还有特殊增添的安排。果然，宝钗、李纨、探春的组织能力都不低。这里，已埋伏下了以后此三人『三套马车』执政的种子。）

探春道：『这原系我起的意，我须得先做个东道主人，方不负我这兴。』李纨道：『既这样说，明日你就先开一社如何？』探春道：『明日不如今日，就是此刻好。你就出题，菱洲限韵，藕榭监场。』迎春道：『依我说，也不必随一人出题限韵，竟是拈阄公道。』李纨道：『方才我来时，看见他们抬进两盆白海棠来，倒是好花。你们何不就咏起他来？』迎春道：『都还未赏，先倒做诗？』宝钗道：『不过是白海棠，又何必定要见了才做。古人的诗赋，也不过都是寄兴寓情耳；要等见了做，如今也没这些诗了。』（强调『言志』，并不强调纪实；强调寄托，并不强调状物。总之，更强调诗人的主体性。）

迎春道：『既如此，待我限韵。』说着，走到书架前，抽出一本诗来，随手一揭，这首诗竟是一首七言律，递与众人看了，都该做七言律。迎春掩了诗，又向一个小丫头道：『你随口说个字来。』那丫头正倚门立着，便说了个『门』字，迎春笑道：『就是「门」字韵，「十三元」了。这头一个韵定要「门」字。』说着又要了韵牌匣子过来，抽出『十三元』一屉，又命那小丫头随手拿四块。那丫头便拿了『盆』『魂』『痕』『昏』四块来。（说明小丫头知韵，比今人强。）

宝玉道：『这「盆」「门」两个字不大好做呢！』待书一样预备下四分纸笔，便都悄然各自思索起来。（命题做诗，限律限韵，对于真正创作，并不可取，但对于以诗会友的联欢活动，却有助于整合、比类与保存。形式上的统一确也是一种统一，搞好了，照样出好诗，成为诗坛佳话。）独黛玉或抚弄梧桐，或看秋色，或又和丫鬟们嘲笑。迎春又命丫鬟点了一枝『梦甜香』。原来这『梦甜香』只有三寸来长，有灯草粗细，以其易烬，故以此为限，如香烬未成，便要受罚。（计时方法也是越原始越有趣。比石英电子钟强多了。）

一时探春便先有了，自己提笔写出，又改抹了一回，递与迎春。因问宝钗：『蘅芜君，你可有了？』宝钗道：『有却有了，只是不好。』宝玉背着手在回廊上踱来踱去，因向黛玉说道：『你听他们都有了。』黛玉道：『你别管我。』宝玉又见宝钗已誊写出来。因说道：『了不得！香只剩了一寸了，我才有了四句。』又向黛玉道：『香要完了，只管蹲在那潮地下做什么？』黛玉也不理。宝玉道：『我可顾不得你了，好歹也写出来罢。』（为了突出女儿们的才思，故意贬宝玉。）说着，也走在案前写了。

李纨道：『我们要看诗了。若看完了还不交卷，是必罚的。』（大体属评论工作者。）宝玉道：『稻香老农虽不善作，却善看，又最公道，你就评阅优劣，我们都服的。』众人都道：『自然。』于是先看探春的稿上写道：

咏白海棠

斜阳寒草带重门，苔翠盈铺雨后盆。
玉是精神难比洁，雪为肌骨易销魂。
芳心一点娇无力，倩影三更月有痕。
莫谓缟仙能羽化，多情伴我咏黄昏。（缺少更深的意蕴与诗人的个性。）

大家看了，称赏一回，又看宝钗的道：

珍重芳姿昼掩门，自携手瓮灌苔盆。
胭脂洗出秋阶影，冰雪招来露砌魂。

淡极始知花更艳，愁多焉得玉无痕？（『淡极』句好。有境界也有自况。）
欲偿白帝宜清洁，不语婷婷日又昏。

李纨笑道：『到底是蘅芜君。』说着，又看宝玉的道：

秋容浅淡映重门，七节攒成雪满盆。
出浴太真冰作影，捧心西子玉为魂。（『太真』『西子』云云，东拉西扯。）
晓风不散愁千点，宿雨还添泪一痕。
独倚画栏如有意，清砧怨笛送黄昏。

大家看了，宝玉说探春的好。李纨终要推宝钗：『这诗有身分。』因又催黛玉。黛玉道：『你们都有了？』说着，提笔一挥而就，掷与众人。（『掷』云云，有点恃才的意思。嫌雕琢。）李纨等看他写道：

半卷湘帘半掩门，碾冰为土玉为盆。

看了这句，宝玉先喝起彩来，只说：『从何处想来！』又看下面道：

偷来梨蕊三分白，借得梅花一缕魂。（咏海棠而借助梨花梅花，实非上策。）

众人看了，也都不禁叫好，说：『果然比别人又是一样心肠。』又看下面道：

月窟仙人缝缟袂，秋闺怨女拭啼痕。
娇羞默默同谁诉？倦倚西风夜已昏。（此诗有技巧而无内蕴。当然，不是黛玉的毛病。）

众人看了，都道：『是这首为上。』李纨道：『若论风流别致，自是这首；若论含蓄浑厚，终让蘅稿。』探春道：『这评的有理，潇湘妃子当居第二。』李纨道：『怡红公子是压尾，你服不服？』（未叫『无事忙』或『富贵闲人』。）宝玉道：『我的那首原不好，这评的最公。』又笑道：『只是蘅潇二首，还要斟酌。』（宝玉原说探春的好，又说黛玉的好。是否有意压低宝钗？）李纨道：『原是依我评论，不与你们相干，再有多说者必罚。』（行使裁判权。）

宝玉听说，只得罢了。李纨道：『从此后，我定于每月初二、十六这两日开社；（大约也是喜欢偶数。）出题限韵，都要依我。这其间你们有高兴的，只管另择日子补开，那怕一个月每天都开社，我也不管。只是到了初二、十六这两日，是必往我那里去。』宝玉道：『到底要起个社名才是。』探春道：『俗了又不好，忒新了刁钻古怪也不好，（刁钻古怪也是一种俗。）可巧才是海棠诗开端，就叫个「海棠诗社」罢。虽然俗些，因真有此事，也就不碍了。』说毕，大家又商议了一回，略用些酒果，方各自散去。也有回家的，也有往贾母王夫人处去的。当下无话。

且说袭人因见宝玉看了字帖儿，便慌慌张张同翠墨去了，也不知何事；后来又见后门上婆子送了两盆海棠花来，袭人问：『那里来的？』婆子们便将前番原故说了。袭人听说，便命他们摆好，让他们在下房里坐了，自己走到房内，称了六钱银子封好，又拿了三百钱走来，都递与那两个婆子，道：『这银子赏那抬花儿的小子们。这钱你们打酒喝罢。』（袭人有职有权，有度有例，而又广结善缘。）那婆子们站起来，眉开眼笑，千恩万谢的不肯受；见袭人执意不收，方领了。袭人又道：『后门上外头可有该班的小子们？』婆子忙应道：『天天有四个，原预备里头差使的。姑娘有什么差使？我们吩咐去。』袭人笑道：『我有什么差使？今儿宝二爷要打发人到小侯爷家与史大姑娘送东西去，可巧你们来了，顺便出去叫后门上小子们雇辆车来，回来你们就往这里拿钱，不用叫他们往前头混碰去。』婆子答应着去了。

袭人回至房中，拿碟子盛东西与湘云送去，却见槅子上碟槽空着，因回头见晴雯、秋纹、麝月等都在一处做针黹，袭人问道：『这一个缠丝白玛瑙碟子那里去了？』（既是统一的家庭，又有各房的设备财产，也算分、统结合。）众人见问，你看我，我看你，都想不起来。半日，晴雯笑道：『给三姑娘送荔枝去的，还没送来呢。』袭人道：『家常送东西的家伙多，巴巴儿的拿这个去。』晴雯道：『我何尝不是这样说，这个碟子配上鲜荔枝才好看。我送去，三姑娘也见了，说好看，连碟子放着，就没带来。你再瞧，那槅子尽上头的一对联珠瓶还没收来呢。』

秋纹笑道：『提起这瓶来，我又想起笑话来了。我们宝二爷说声孝心一动，也孝敬到二十分。那日见园里桂花，折了两枝，原是自己要插瓶的，忽然想起来，说：「这是自己园里才开的新鲜花，不敢自己先玩。」巴巴的把那一对瓶拿下来，亲自灌水插好了，叫个人拿着，亲自送一瓶进老太太，又进一瓶与太太。谁知他孝心一动，连跟的人都得了福了。可巧那日是我拿去的，老太太见了这样，喜的无可不可，见人就说：「到底是宝玉孝顺我，连一枝花儿也想的到。别人还只抱怨我疼他。」你们知道，老太太素日不大同我说话，有些不入他老人家的眼；那日竟叫人拿几百钱给我，（奴才常被迁怒，也有被『迁喜』『迁爱』的时候。）说我「可怜见的，生的单弱。」这可是再想不到的福气。几百钱是小事，难得这个脸面。（秋纹有意谈起这个话题，说明自己只是沾了宠宝玉的光，并非自己另有特殊贡献。）及至到了太太那里，太太正和二奶奶赵姨奶奶好些人翻箱子，找太太当日年轻的颜色衣裳，不知要给那一个，一见了，连衣裳也不找了，且看花儿。又有二奶奶在傍边凑趣儿，夸宝二爷又是怎么孝敬，又是怎么知好歹，有的没的，说了两车话；（宝玉肯定有孝敬长辈的这一面。）当着众人，太太脸上又增了光，堵了众人的嘴。太太越发喜欢了，现成的衣裳，就赏了我两件。衣裳也是小事，年年横竖也得，却不像这个采头。』

晴雯笑道：『呸！好没见世面的小蹄子！那是把好的给了人，挑剩下的才给你，你还充有脸呢。』秋纹道：『凭他给谁剩的，到底是太太的恩典。』晴雯道：『要是我，我就不要。若是给别人剩的给我，也罢了；一样这屋里的人，难道谁又比谁高贵些？把好的给他，剩的才给我，我宁可不要，冲撞了太太，我也不受这口软气。』（晴雯语带机关。）秋纹忙问道：『给这屋里谁的？我因为前日病了几天，家去了，不知是给谁的。好姐姐，你告诉我知道。』晴雯道：『我告诉了你，难道你这会退还太太去不成？』秋纹笑道：『胡说！我白听了喜欢喜欢，那怕给这屋里的狗剩下的，我只领太太的恩典，也不去管别的事。』（秋纹配合默契。算不算『影射』？）众人听了都笑道：『骂的巧，可不是给了那西洋花点子哈巴儿了。』袭人笑道：『你们这起烂了嘴的！得了空就拿我取笑打牙儿，一个个不知怎么死呢！』（通过取笑出出气，幽默也是安全阀门。袭人懂得，允许人家说话乃至调侃她，才能避免矛盾激化。允许幽默比不允许幽默好。『红』笔下，正如宝玉眼里，对袭人纵有不敬不敢苟同之处，还是处处留有地步的。只『西洋花点子哈巴儿』云云，比较刺激。）秋纹笑道：『原来姐姐得了，我实在不知道。我陪个不是罢。』

袭人笑道：『少轻狂罢，你们谁取了碟子来是正经。』麝月道：『那瓶也该得空收来了。老太太屋里还罢了，太太屋里人多手杂，别人还可已，赵姨奶奶一伙的人见是这屋里的东西，又该使黑心弄坏了才罢。太太也不大管这些，不如早些收来是正经。』晴雯听说，便掷下针黹，道：『这话倒是，等我取去。』秋纹道：『还是我取去罢，你取你的碟子去。』晴雯道：『我偏取一遭儿去。是巧宗儿，你们都得了，难道不许我得一遭儿？』麝月笑道：『统共秋丫头得了一遭儿衣裳，那里今儿又巧，你也遇见找衣裳不成？』晴雯冷笑道：『虽然碰不见衣裳，或者太太看见我勤谨，一个月也把太太的公费里，分出二两银子来给我，也定不得。』说着，又笑道：『你们别和我装神弄鬼的，什么事我不知道！』（晴雯这样眼里不掺沙子，固有语出伤人的一面，也有一定的震慑作用；她发出一个信号：我不是好惹的。）一面说，一面往外跑了。

秋纹也同他出来，自去探春那里取了碟子来，袭人打点齐备东西，叫过本处的一个老宋妈妈来，向他说道：『你先好生梳洗了，换了出门的衣裳来，如今打发你与史大姑娘送东西去。』宋嬷嬷道：『姑娘只管交给我，有话说与我，我收拾了，就好一顺去。』袭人听说，便端过两个小摄丝盒子来，先揭开一个，里面装的是红菱、鸡头两样鲜果；又揭开那一个，是一碟子桂花糖蒸的新栗粉糕。又说道：『这都是今年咱们这里园里新结的果子，宝二爷送来与姑娘尝尝。再前日姑娘说这玛瑙碟子好，姑娘就留下玩罢。这绢包儿里头是姑娘上日叫我做的活计，姑娘别嫌粗糙，将就着用罢。替我们请安，替二爷问好，就是了。』（袭人自宝钗处得知了湘云的处境，便做些雪中送炭的好事。如果仅仅作为关系学的做伪来看，亦不公正。有真诚的『助人为乐』的一面。既是施恩不望报，也是『感情投资』。单纯从动机上去区分真伪，确也越区分越混乱。）宋嬷嬷道：『宝二爷不知还有什么说的，姑娘再问问去，回来别又说忘了。』袭人因问秋纹：『方才可是在三姑娘那里么？』秋纹道：『他们都在那里商议起什么诗社呢，又是做诗；想来没话，你只管去罢。』宋嬷嬷听了，便拿东西出去，穿戴了，袭人又嘱咐他：『你从后门去，有小子和车等着呢。』宋嬷嬷去了，不在话下。

一时宝玉回来，先忙着看了一回海棠，至屋内告诉袭人起诗社的事，袭人也把打发宋嬷嬷与史湘云送东西去的话告诉了宝玉。（袭人拾遗补阙。湘云处于半边缘状态。）宝玉听了，拍手道：『偏忘了他！我自觉心里有件事，只是想不起来，亏你提起来，正要请他去。这诗社里若少了他，还有个什么意思。』袭人劝道：『什么要紧，不过玩意儿。他比不得你们自在，家里又作不得主儿。告诉他，他要来，又由不得他；若不来，他又牵肠挂肚的，没的叫他不受用。』宝玉道：『不妨事，我回老太太，打发人接他去。』正说着，宋嬷嬷已经回来道生受，与袭人道乏，又说：『问二爷做什么呢我说：「和姑娘们起什么诗社做诗呢。」史姑娘道，他们做诗，也不告诉他去。急的了不得。』宝玉听了，转身便往贾母处来，立逼着叫人接去。贾母因说：『今儿天晚了，明日一早去。』（为什么会忘记湘云？为什么还要后拖一日才能接来？似乎含有某种意味。）宝玉只得罢了，回来闷闷的。

次日一早，便又往贾母处来催逼人接去。直到午后，史湘云才来了，宝玉方放了心。见面时，就把始末原由告诉他，又要与他诗看。李纨等因说道：『且别给他看，先说与他韵脚。他后来的，先罚他和了诗，若好，就请人社；若不好，还要罚他一个东道再说。』湘云笑道：『你们忘了请我，我还要罚你们呢！就拿韵来，我虽不能，只得勉强出丑。容我入社，扫地焚香，我也情愿。』众人见他这般有趣，越发喜欢，都埋怨：『昨日怎么忘了他。』（怎么忘了他？并非有袭人的顾虑，硬是忘了，忘就忘了。）遂忙告诉他诗韵。

史湘云一心兴头，等不得推敲删改，一面只管和人说着话，心内早已和成，即用随便的纸笔录出，先笑说道：『我却依韵和了两首，好歹我都不知，不过应命而已。』（忘了湘云，再补，于平板处起点小波澜，于无事处脱了裤子放屁。）说着，递与众人。众人道：『我们四首也算想绝了，再一首也不能了，你倒弄了两首，那里有许多话说？必要重了我们的。』一面说，一面看时，只见那两首诗写道：

其一

神仙昨日降都门，种得蓝田玉一盆。
自是霜娥偏爱冷，非关倩女欲离魂。
秋阴捧出何方雪？雨渍添来隔宿痕。
却喜诗人吟不倦，岂令寂寞度朝昏？（也似前几首的改作。确实本系一人所做。）

其二

蘅芷阶通萝薜门，也宜墙角也宜盆。
花因喜洁难寻偶，人为悲秋易断魂。（洁呀玉呀雪呀魂呀……自我重复与相互重复，是旧体诗一大问题。）
玉烛滴干风里泪，晶帘隔破月中痕。
幽情欲向嫦娥诉，无奈虚廊月色昏！（此首略可。）

众人看一句，惊讶一句，看到了，赞到了，都说：『这个不枉做了海棠诗，真该要起「海棠社」了。』史湘云道：『明日先罚我个东道，就让我先邀一社，可使得？』众人道：『这更妙了。』因又将昨日的诗与他评论了一回。

至晚，宝钗将湘云邀往蘅芜院去安歇。湘云灯下计议如何设东拟题，宝钗听他说了半日，皆不妥当，因向他说道：『既开社，便要作东。虽然是个玩意儿，也要瞻前顾后，又要自己便宜，又要不得罪了人，然后方大家有趣。你家里你又做不得主，一个月统共那几吊钱，你还不够使；这会子又干这没要紧的事，你婶娘听见了一发抱怨你了。况且你都拿出来，做这个东也不够。难道为这个家去要不成？还是和这里要呢？』

一席话提醒了湘云，倒踌躇起来。宝钗道：『这个我已经有个主意。我们当铺里有一个伙计，他家田里出的好螃蟹，前儿送了几个来。现在这里的人，从老太太起，连上屋里的人，有多一半都是爱吃螃蟹的，前日姨娘还说，要请老太太在园里赏桂花吃螃蟹。（国人爱吃螃蟹，这也是中华传统。）因为有事，还没有请。你如今且把诗社别提起，只普统一请，等他们散了，咱们有多少诗做不得的？我和我哥哥说，要他几篓极肥极大的螃蟹来，再往铺子里取上几坛好酒来，再备四五桌果碟，岂不又省事，又大家热闹？』（周到，务实，建设性与可操作性。）湘云听了，心中自是感服，极赞：『想的周到！』宝钗又笑道：『我是一片真心为你的话，你千万别多心，想着我小看了你，咱们两个就白好了。你若不多心，我就好叫他们办去。』湘云忙笑道：『好姐姐，你这样说，倒多心待我了。我凭他怎么胡涂，连个好歹也不知，还成个人哩！（为之折服。）我若不把姐姐当亲姐姐一样看待，上回那些家常烦难事，也不肯尽情告诉你了。』（善能服人。服人又似计谋，计谋则无善，只似伪，似不善。这是为善的尴尬之处。人类的悲哀之一，常常相信恶之真，怀疑善之伪。）宝钗听说，便唤一个婆子来：『出去和大爷说，照前日的大螃蟹要几篓来，明日饭后请老太太、姨娘赏桂花。你说：大爷好歹别忘了，我今儿已经请下了人了。』那婆子出去说明，回来无话。

这里宝钗又向湘云道：『诗题也不要过于新巧了。你看古人中，那里有那些刁钻古怪的题目和那极险的韵？若题目过于新巧，韵过于险，再不得好诗，终是小家子气。诗固然怕说熟话，然亦不可过于求生；只要头一件立意清新，措词就不俗了。（宝钗的诗论有理。）究竟这也算不得什么，还是纺绩针黹是你我的本等。一时闲了，倒是于身心有益的书看几章是正经。』（这话既有轻视妇女轻视「文艺」认同三从四德的腐朽一面，也有戒骄戒躁的健康态度一面，免得做诗做成了疯魔。人从来都是活得很烦恼很辛苦的。但总有闲情逸致。何况这些公子小姐们？小说之道正如文武之道——大道总是相通的，叫做一张一弛。）

湘云只答应着，因笑道：『我如今心里想着，昨日做了海棠诗，我如今要做个菊花诗如何？』宝钗道：『菊花倒也合景，只是前人太多了。』湘云道：『我也是如此想着，恐怕落套。』宝钗想了一想，说道：『有了，如今以菊花为宾，以人为主，竟拟出几个题目来，都要两个字：一个虚字，一个实字；实字就用「菊」字，虚字便用通用门的。如此，又是咏菊，又是赋事，前人也没很做，也不能落套。赋景咏物两关着，又新鲜又大方。』湘云笑道：『这却很好，只是不知用何等虚字才好？你先想一个我听听。』宝钗想了一想，笑道：『「菊梦」就好。』湘云笑道：『果然好。我也有一个，「菊影」可使得？』（海棠意犹未尽，菊花又显身影，只是从时令上看，过渡得快了些。）

宝钗道：『也罢了，只是也有人做过。若题目多，这个也搭的上。我又有了一个。』湘云道：『快说出来。』宝钗道：『「问菊」如何？』湘云拍案叫：『妙！』因接说道：『我也有了，「访菊」如何？』宝钗也赞：『有趣。』因说道：『索性拟出十个来，写上再来。』

说着，二人研墨蘸笔，湘云便写，宝钗便念，一时凑了十个。湘云看了一遍，又笑道：『十个还不成幅，爽性凑成十二个，便全了，也如人家的字画册页一样。』（当时尚无「打」（dozen）这个量词，但有「十二为幅」的观念，此中、西相通之处。）宝钗听说，又想了两个，一共凑成十二个，说道：『既这样，一发编出他个次序先后来。』湘云道：『如此更妙，竟弄成个「菊谱」了。』宝钗道：『起首是「忆菊」；忆之不得，故访，第二是「访菊」；访之既得，便种，第三是「种菊」；种既盛开，故相对而赏，第四是「对菊」；相对而兴有余，故折来供瓶为玩，第五是「供菊」；既供而不吟，亦觉菊无彩色，第六便是「咏菊」；既入词章，不可以不供笔墨，第七便是「画菊」；既为画菊，如是碌碌，究竟不知菊有何妙处，不禁有所问，第八便是「问菊」；菊如何解语，使人狂喜不禁，第九竟是「簪菊」；如此人事虽尽，犹有菊之可咏者，「菊影」「菊梦」二首，续在第十、第十一；末卷便以「残菊」总收前题之感。这便是三秋的妙景妙事都有了。』（这里有命题学。）

湘云依言将题录出，又看了一回，又问：『该限何韵？』宝钗道：『我平生最不喜限韵，分明有好诗，何苦为韵所缚。咱们别学那小家派，只出题，不拘韵。（宝钗诗论，时有大气。）原为大家偶得了好句取乐，并不为以此难人。』湘云道：『这话很是。这样，大家的诗还进一层。但只咱们五个人，这十二个题目，难道每人作

十二首不成？』宝钗道：『那也太难人了。将这题目誊好，都要七言律诗，明日贴在墙上，他们看了，谁能那一个，就做那一个。有力量者十二首都做也可；不能的作一首也可。高才捷足者为尊。若十二首已全，便不许他赶着又做，罚他便完了。』（「红」在在炫学、炫富、炫情、炫博、炫雅乃至炫俗。）湘云道：『这也罢了。』二人商议妥贴，方才息灯安寝。要知端的，且听下回分解。

雪芹不厌其烦地通过自己喜爱的人不断做诗论诗，除人物故事展开的需要、结构上的间离与调剂——如果老是一波未平一波又起，未免太促太火——的需要以外，似还有一个原因。盖我国传统，视诗、文为上品而小说为通俗文学——引车卖浆者的文学。雪芹必得多少展示自己的诗才才好。

有挨打之痛，有闲吟之趣，有女儿之才，有海棠、菊花之美，紧接着还有朵颐之福。人生就是这样，苦苦乐乐，是是非非，雅雅俗俗，忙忙闲闲。连续闲吟似有无聊。

都奇怪为什么忘了湘云，却硬是忘了。史的文才、美貌、亲近，本不该忘，是不是暗示史的被忘的命运呢？在以宝玉为核心的情场中，也许最后才有的史的位置。

第三十八回　林潇湘魁夺菊花诗　薛蘅芜讽和螃蟹咏

话说宝钗湘云计议已定，一宿无话。湘云次日便请贾母等赏桂花。贾母等都说道：『倒是他有兴头，须要扰他这雅兴。』至午，果然贾母带了王夫人凤姐，兼请薛姨妈等进园来。贾母因问：『那一处好？』王夫人道：『凭

老太太爱在那一处，就在那一处。』凤姐道：『藕香榭已经摆下了，那山坡下两棵桂花开的又好，河里水又碧清，坐在河当中亭子上不敞亮，看着水，眼也清亮。』贾母听了，说：『这话很是。』说着，引了众人往藕香榭来。原来这藕香榭盖在池中，四面有窗，左右有回廊，亦是跨水接峰，后面又有曲折桥。（炫景。）众人上了竹桥，凤姐忙上来搀着贾母，口里说道：『老祖宗只管迈大步走，不相干，这竹子桥规矩是「咯吱咯吱」的。』（走在竹桥上，享受咯吱咯吱。）

一时进入榭中，只见栏杆外另放着两张竹案，一个上面设着杯箸酒具，一个上头设着茶筅茶具各色盏碟。那边有两三个丫头煽风炉煮茶，这一边另外几个丫头也煽风炉烫酒呢。（吃像吃，饮像饮，逛像逛，除了没有正经事，一切都是高标准。）贾母忙笑问：『这茶想的很好，且是地方东西都干净。』湘云笑道：『这是宝姐姐帮着我预备的。』贾母道：『我说这个孩子细致，凡事想的妥当。』（妥当。再次令贾母折服。）一面说，一面又看见柱子上挂的黑漆嵌蚌的对子，命湘云念道：

芙蓉影破归兰桨，菱藕香深泻竹桥。

贾母听了，又抬头看匾，因回头向薛姨妈道：『我先小时，家里也有这么一个亭子，叫做什么枕霞阁。我那时也只像他姐妹们这么大年纪，同姊妹们天天玩去。那日谁知我失了脚掉下去，几乎没淹死，好容易救了上来，到底被那木钉碰破了头，如今这鬓角上那指头顶儿大一块窝儿，就是那碰破的。众人都怕经了水，又怕冒了风，都说了不得了，谁知竟好了。』（老人回忆自己的青年时代，另一方面，却也使读者想到这些青年人的老境。他们有贾母的这种福气吗？）

凤姐不等人说，先笑道：『那时要活不得，如今这么大福可叫谁享呢？可知老祖宗从小儿的福寿就不小，神差鬼使，碰出那个窝儿来，好盛福寿的。寿星老儿头上原是一个窝儿，因为万福万寿盛满了，所以倒凸高出些来了。』（凑趣逗笑亦是取宠妙法，不可不察。）

未及说完，贾母与众人都笑软了。贾母笑道：『这猴儿惯的了不得了，只管拿我也取笑儿起来，恨的我撕你那油嘴。』凤姐道：『回来吃螃蟹，恐积了冷在心里，讨老祖宗笑一笑开心，一高兴多吃两个，也无妨了。』贾母笑道：『明日叫你日夜跟着我，我倒常笑笑，觉得开心，不许回家去。』王夫人笑道：『老太太因为喜欢他，才惯得他这样；还这样说，他明日越发无理了。』贾母笑道：『我倒喜欢他这样，况且他又不是那真不知高低的孩子。家常没人，娘儿们原该这样，横竖礼体不错就罢了，没的倒叫他们神鬼似的做什么。』（既分高低贵贱尊卑，又要亲热随意乐和。只有前者，活得太累。）

说着，一齐进入亭子。献过茶，凤姐忙着安放杯箸，上面一桌：贾母、薛姨妈、宝钗、黛玉、宝玉。东边一桌：湘云、王夫人、迎春、探春、惜春。西边靠门一小桌：李纨和凤姐，虚设坐位，二人皆不敢坐，只在贾母王夫人两桌上伺候。（宴请设桌，也是有讲究的，其例大致可循。）凤姐吩咐：『螃蟹不可多拿来，仍旧放在蒸笼里，拿十个来，吃了再拿。』一面又要水洗了手，站在贾母跟前剥蟹肉。头次让薛姨妈，薛姨妈道：『我自己掰着吃香甜，不用人让。』凤姐便奉与贾母，二次的便与宝玉。又说：『把酒烫得滚热的拿来。』又命小丫头们去取菊花叶儿桂花蕊熏的绿豆面子，预备洗手。史湘云陪着吃了一个，便下座来让人，又出至外头，命人盛两盘子与赵姨娘送去。（把吃螃蟹当作一件大事，至今江南一些城市如此。）又见凤姐走来道：『你不惯张罗，你吃你的去，我先替你张罗，等散了，我再吃。』（螃蟹宴的设计者是宝钗，『施工』者是凤姐。宝钗略高一筹。）湘云不肯，又命人在那边廊上摆了两席，让鸳鸯、琥珀、彩霞、彩云、平儿去坐。鸳鸯因向凤姐笑道：『二奶奶在这里伺候，我可吃去了。』凤姐儿道：『你们只管去，都交给我就是了。』说着，史湘云仍入了席。

凤姐和李纨也胡乱应了个景儿。凤姐仍旧下来张罗，一时出至廊上，鸳鸯等正吃得高兴，见他来了，鸳鸯等站起来道：『奶奶又出来做什么？让我们也受用一会子。』凤姐笑道：『鸳鸯丫头越发坏了，我替你当差，倒不领情，还抱怨我，还不快斟一钟酒来我喝呢！』鸳鸯笑着，忙斟了一杯酒，送至凤姐唇边，凤姐一挺脖子吃了。琥珀彩霞二人，也斟上一杯，送至凤姐唇边，那凤姐也吃了。平儿早剔了一壳黄子送来，凤姐道：『多倒些姜醋。』一回也吃了，笑道：『你们坐着吃罢，我可去了。』鸳鸯笑道：『好没脸！吃我们的东西。』凤姐儿笑道：『你少和我作怪，你知道你琏二爷爱上了你，要和老太太讨了你做小老婆呢。』（这个玩笑对于下面的情节有预示性。预示是长篇小说的一个手段，毫无预示的情节发生，会令读者感到突然，乃至会影响可信性。）鸳鸯红了脸道：『啐！这也是做奶奶说出来的话。我不拿腥手抹你一脸算不得！』说着，站起来就要抹。凤姐儿道：『好姐姐，饶我这一遭儿罢。』琥珀笑道：『鸳丫头要去了，平丫头还饶他？你们看看，他没有吃了两个螃蟹，倒喝了一碟子醋呢！』

平儿手里正剥了个满黄螃蟹，听如此奚落他，便拿着螃蟹照琥珀脸上来抹，口内笑骂：『我把你这嚼舌根的小蹄子！』（主奴之辨也要灵活掌握。大家高兴时，不妨把弦放松，自由平等博爱，不分彼此，打成一片。真有了事，那也没什么客气的。）琥珀也笑着往傍边一躲。平儿使空了，往前一撞，正恰恰的抹在凤姐腮上。凤姐正和鸳鸯嘲笑，不防吓了一跳，『嗳哟』了一声，众人掌不住都哈哈的大笑起来。凤姐也禁不住笑骂道：『死娼妇！吃离了眼了，混抹你娘的。』（能骂得如此畅快，人生一乐。）平儿忙赶过来替他擦了，亲自去端水。鸳鸯道：『阿弥陀佛！这才是现报呢。』

贾母那边听见，一叠连声问：『见了什么了，这样乐？告诉我们也笑笑。』（贾母也凑趣。更见凤姐之得宠。）鸳鸯等忙高声笑回道：『二奶奶来抢螃蟹吃，平儿恼了，抹了他主子一脸螃蟹黄子，主子奴才打架呢！』贾母和王夫人等听了，也笑起来。贾母笑道：『你们看他可怜见儿的，那小腿子、脐子，给他点子吃，也完了。』（幽默必须双向、可逆。弄臣还要培养出『玩主』来。）鸳鸯等笑着答应了，高声的说道：『这满桌子的腿子，二奶奶只管吃就是了。』凤姐洗了脸，走来又伏侍贾母等吃了一回。

黛玉弱，不敢多吃，只吃了一点夹子肉，就下来了。贾母一时也不吃了。大家方散，都洗了手。也有看花的，也有弄水看鱼的，游玩了一回。王夫人因回贾母，说：『这里风大，才又吃了螃蟹，老太太还是回房去歇歇罢了。若高兴，明日再来逛逛。』贾母听了，笑道：『正是呢。我怕你们高兴，我走了，又怕扫了你们的兴；既这么说，咱们就都去罢。』回头嘱咐湘云：『别让你宝哥哥林姐姐多吃了。』湘云答应着。又嘱咐湘云宝钗二人说：『你两个也别多吃。那东西虽好吃，不是什么好的，吃多了肚子疼。』（细细写来，滴水不漏。）

吃螃蟹一节，确实可以当作风俗画来看，作者写得有鼻子有眼，实实在在，方方面面，严丝合缝。这是求实求真的一套笔墨，阅读效果是感同身受，使你忘了是小说。好小说既是小说，又常常不是小说。是小说，使你惊叹于小说家的想象力、才华和博大精深，直至匠心独运。不是小说，使你见到感到了时代、历史、人生、宇宙，至少是生活的图画。

二人忙应着，送出园外，仍旧回来，命将残席收拾了另摆。（老辈人及时退出，以使青年人得以尽兴。）宝玉道：『也不用摆，咱们且做诗。把那大团圆桌子放在当中，酒菜都放着，也不必拘定坐位，有爱吃的去吃，大家散坐，岂不便宜？』宝钗道：『这话极是。』湘云道：『虽如此说，还有别人。』因又命另摆一桌，拣了热螃蟹来，请袭人、紫鹃、司棋、侍书、入画、莺儿、翠墨等一处共坐。山坡桂树底下铺下两条花毯，命支应的婆子并小丫头等也都坐了，只管随意吃喝，等使唤再来。（开始进入无差别境界。）

湘云便取了诗题，用针绾在墙上，众人看了，都说：『新奇，只怕做不出来。』湘云又把不限韵的缘故说了一番，宝玉道：『这才是正理，我也最不喜限韵。』黛玉因不大吃酒，又不吃螃蟹，自命人掇了一个绣墩，倚栏坐着，拿着钓杆钓鱼。宝钗手里拿着一枝桂花，玩了一回，俯在窗槛上，掐了桂蕊，掷在水面，引的游鱼浮上来唼喋。湘云出一回神，又让一回袭人等，又招呼山坡下的众人只管放量吃。探春和李纨惜春正立在垂柳阴中看鸥鹭。迎春又独在花阴下，拿着花针儿穿茉莉花。宝玉又看了一回黛玉钓鱼，一回又俯在宝钗傍边说笑两句，一回又看袭人等吃螃蟹，自己也陪他饮两口酒，袭人又剥一壳肉给他吃。黛玉放下钓杆，走至座间，拿起那乌银梅花自斟壶来，拣了一个小小的海棠冻石蕉叶杯。丫头看见，知他要饮酒，忙着走上来斟。黛玉道：『你们只管吃去，让我自己斟才有趣儿。』（在和自然——哪怕是人造的自然相对的时候，人显得净化了许多。一幅及时行乐图。）说着，便斟了半盏，看时，却是黄酒，因说道：『我吃了一点子螃蟹，觉得心口微微的疼，须得热热的吃口烧酒。』宝玉忙接道：『有烧酒。』便命将那合欢花浸的酒烫一壶来。

黛玉也只吃了一口，便放下了。宝钗也走过来，另拿了一只杯来，也饮了一口放下，便蘸笔至墙上把头一个『忆菊』勾了，底下又赘一个『蘅』字。（从物质的高潮进入文化的高潮，两手都要硬。）宝玉忙道：『好姐姐，第二个我已有了四句了，你让我做罢。』宝钗笑道：『我好容易有了一首，你就忙的这样。』黛玉也不说话，接过笔来把第八个『问菊』也勾了，接着把第十一个『菊梦』也勾了，也赘上了一个『潇』字。宝玉也拿起笔来将第二个『访菊』也勾了，也赘上一个『绛』字。探春起来看着道：『竟没人作「簪菊」？让我作。』又指着宝玉笑道：『才宣过，总不许带出闺阁字样来，你可要留神。』说着，只见湘云走来，将第四第五『对菊』『供菊』一连两个都勾了，也赘上一个『湘』字。（带有游戏性、竞赛性、测验性和联欢性。游戏中亦可见性情，见性情，见真知灼见乃至见血泪，也仍然具有游戏性。因不可一脑门子官司，搞得各个侧面势不两立——那将是何等煞风景的事。）探春道：『你也该起个号。』湘云笑道：『我们家里如今虽有几处轩馆，我又不住着，借了来也没趣。』宝钗笑道：『方才老太太说，你们家里也有一个水亭，叫做枕霞阁，难道不是你的？如今虽没了，你到底是旧主人。』众人都道：『有理。』宝玉不待湘云动手，便代将『湘』字抹了，改了一个『霞』字。

没有顿饭工夫，十二题已全，各自誊出来，都交与迎春，另拿了一张雪浪笺过来，一并誊录出来，某人作的，底下赘明某人的号。李纨等从头看道：

忆菊　蘅芜君

怅望西风抱闷思，蓼红苇白断肠时。（平和安详如宝钗，诗中亦不免『闷思』『断肠』，诗咏忧思，盖难免也。）
空篱旧圃秋无迹，冷月清霜梦有知。
念念心随归雁远，寥寥坐听晚砧迟。
谁怜我为黄花瘦，慰语重阳会有期。（工整的句子，易成俗套，少了点个性感。）

访菊　怡红公子

闲趁霜晴试一游，酒杯药盏莫淹留。
霜前月下谁家种，槛外篱边何处秋？（问不着。）
蜡屐远来情得得，冷吟不尽兴悠悠。
黄花若解怜诗客，休负今朝挂杖头。（这样的诗如同扎针而不流血。）

种菊　怡红公子

携锄秋圃自移来，篱畔庭前处处栽。
昨夜不期经雨活，今朝犹喜带霜开。（『昨夜』句尚可，有几分活气。）
冷吟秋色诗千首，醉酹寒香酒一杯。
泉溉泥封勤护惜，好和井径绝尘埃。（你到底有话说否？想说个啥？）

对菊　枕霞旧友

别圃移来贵比金，一丛浅淡一丛深。
萧疏篱畔科头坐，清冷香中抱膝吟。
数去更无君傲世，看来惟有我知音。
秋光荏苒休孤负，相对原宜惜寸阴。（诗虽不差，仍嫌人工，不似天成、偶得者。）

供菊　枕霞旧友

弹琴酌酒喜堪俦，几案婷婷点缀幽。
隔坐香分三径露，抛书人对一枝秋。
霜清纸帐来新梦，圃冷斜阳忆旧游。
傲世也因同气味，春风桃李未淹留。（文字虽好，诗境界有限。）

咏菊　潇湘妃子

无赖诗魔昏晓侵，绕篱欹石自沉音。（无赖诗魔的作用下，难出太好的诗。）
毫端蕴秀临霜写，口角噙香对月吟。
满纸自怜题素怨，片言谁解诉秋心？
一从陶令评章后，千古高风说到今。（不像《葬花》，句句都是黛玉体。）

画菊　蘅芜君

诗余戏笔不知狂，岂是丹青费较量。
聚叶泼成千点墨，攒花染出几痕霜。（略有诗人的洒脱。）
淡浓神会风前影，跳脱秋生腕底香。
莫认东篱闲采掇，粘屏聊以慰重阳。

问菊　潇湘妃子

欲讯秋情众莫知，喃喃负手扣东篱。
孤标傲世偕谁隐，一样开花为底迟？（人们称道这两句，盖内中有黛玉自己。）
圃露庭霜何寂寞，雁归蛩病可相思？
莫言举世无谈者，解语何妨话片时。（降调以自慰，这是许多诗的结法。）

簪菊　蕉下客

瓶供篱栽日日忙，折来休认镜中妆。
长安公子因花癖，彭泽先生是酒狂。
短鬓冷沾三径露，葛巾香染九秋霜。
高情不入时人眼，拍手凭他笑路旁。

菊影　枕霞旧友

秋光叠叠复重重，潜度偷移三径中。
窗隔疏灯描远近，篱筛破月锁玲珑。
寒芳留照魂应驻，霜印传神梦也空。
珍重暗香踏碎处，凭谁醉眼认朦胧。

菊梦　潇湘妃子

篱畔秋酣一觉清，和云伴月不分明。（洁癖，孤独感，时有显示。）
登仙非慕庄生蝶，忆旧还寻陶令盟。
睡去依依随雁断，惊回故故恼蛩鸣。
醒时幽怨同谁诉，衰草寒烟无限情。

残菊　蕉下客

露凝霜重渐倾欹，宴赏才过小雪时。（宴赏句即景，反而平实可爱。）
蒂有余香金淡泊，枝无全叶翠离披。
半床落月蛩声切，万里寒云雁阵迟。
明岁秋分知再会，暂时分手莫相思。

众人看一首，赞一首，彼此称扬不绝。李纨笑道：『等我从公评来，通篇看来，各人有各人的警句，今日公评：「咏菊」第一，「问菊」第二，「菊梦」第三，题目新，诗也新，立意更新了，只得要推潇湘妃子为魁了。（没觉出立意新来。要新意必须一吐衷肠，但许多人作诗什么都有，就是没有衷肠。）然后「簪菊」「对菊」「供菊」「画菊」「忆菊」次之。』宝玉听说，喜的拍手叫道：『极是，极公！』黛玉道：『我那个也不好，到底伤于纤巧些。』李纨道：『巧的却好，不露堆砌生硬。』黛玉道：『据我看来，头一句好的是「圃冷斜阳忆旧游」，这句背面傅粉；「抛书人对一枝秋」，已经妙绝，将供菊说完，没处再说，故翻回来想到未折未供之先，意思深远。』李纨笑道：『固如此说，你的「口角噙香」一句也敌得过了。』探春又道：『到底要算蘅芜君沉着，「秋无迹」「梦有知」，把个「忆」字竟烘染出来了。』宝钗笑道：『你的「短鬓冷沾」「葛巾香染」，也就把簪菊形容的一个缝儿也没了。』（咬文嚼字，人生至乐也。）湘云笑道：『「偕谁隐」「为底迟」，直直把个菊花问得无言可对。』李纨笑道：『你那「科头坐」「抱膝吟」，竟一时也舍不得别开，菊花有知，也必腻烦了。』（这样析诗，有见树不见林之虞。）说的大家都笑了。（雪芹写这一段时一定很开心。自己拟了诗，再通过自己的人物评点夸奖一番，小说家一乐也。一人化作千人面，千人同由一人牵，小说家就是小说——小说人物们的上帝、造物——造言主。）

宝玉笑道：『我又落第。（为了凸现女孩子们的才气，不惜回回让宝玉『落第』。）难道「谁家种」「何处秋」「蜡屐远来」「冷吟不尽」都不是访不成？「昨夜雨」「今朝霜」，都不是种不成？但恨敌不上「口角噙香对月吟」「清冷香中抱膝吟」「短鬓」「葛巾」「金淡泊」「翠离披」「秋无迹」「梦有知」这几句罢了。』又道：『明日闲了，我一个人做出十二首来。』李纨道：『你的也好，只是不及这几句新巧就是了。』大家又评了一回，复又要了热螃蟹来，就在大圆桌上吃了一回。

宝玉笑道：『今日持螯赏桂，亦不可无诗，我已吟成，谁还敢作？』说着，便忙洗了手，提笔写出，众人看道：

持螯更喜桂阴凉，泼醋擂姜兴欲狂。（有情致，无深度。）
饕餮王孙应有酒，横行公子竟无肠。
脐间积冷馋忘忌，指上沾腥洗尚香。
原为世人美口腹，坡仙曾笑一生忙。

黛玉笑道：『这样的诗，一时要一百首也有。』宝玉笑道：『你这会子才力已尽，不说不能作了，还贬人家。』黛玉听了，并不答应，略一仰首微吟，提起笔来一挥，已有了一首。众人看道：

铁甲长戈死未忘，堆盘色相喜先尝。（黛玉能做出这样状写饕餮的句子么？）
螯封嫩玉双双满，壳凸红脂块块香。
多肉更怜卿八足，助情谁劝我千觞？
对兹佳品酬佳节，桂拂清香菊带霜。

宝玉看了，正喝彩，黛玉便一把撕了，命人烧去，因笑道：『我做的不及你的，我烧了他，你那个很好，比方才的菊花诗还好，你留着他给人看。』（倒是，更朴真也更放得开一些。不像恁年轻人写的。）

宝钗笑道：『我也勉强了一首，未必好，写出来取笑儿罢。』说着，也写了出来，大家看时，写道：

桂霭桐阴坐举觞，长安涎口盼重阳。

眼前道路无经纬，皮里春秋空黑黄。

看到这里，众人不禁叫绝。宝玉道：『骂得痛快！我的诗也该烧了。』看底下道：

酒未涤腥还用菊，性防积冷定须姜。（吃蟹后用菊花水洗手，『红』已有之。）

于今落釜成何益，月浦空余禾黍香。

雪芹『替』那么多女子做诗，大致都还有几分女气，内中心理依据颇可玩味。这也是一种体贴，一种『情结』。就诗而论，或未必甚佳，放在一起，便有惊人处。末三首『饶』上去的诗基本上是一个调子，递进累加，逐步深入。

众人看毕，都说：『这是食蟹绝唱。这些小题目，原要寓大意思，才算是大才。只是讽刺世人太毒了些。』（寓意不过是诗才的要求，不必当真。『太毒了些』云云是雪芹狡狯处，虚虚往回拉一拉，做中庸有度状。）说着，只见平儿复进园来。不知做什么，且听下回分解。

这是大观园的一幅行乐图。简直是天堂，是活神仙的日子。有美景，有美食，有美诗更有美人，几乎人人开心，个个高兴。几近于一次联欢节，狂欢节，诗歌艺术节，美食节，菊花节。节日般的快乐一去不再，永远难忘。即使重返大荒山青埂峰无稽崖，重新永远永远地复归为一块石头，想起这次吃蟹咏菊，能不依依？也是一个高潮。享受人生（enjoy life）的高潮。矛盾重重乃至大打出手的高潮不易写，快乐的高潮更不易写。人生能有几次快乐？乐哉人生，哀哉人生！《红楼梦》请君尽尝人生滋味！

一连两回以诗歌活动为中心，加以食蟹，游玩，主奴笑谑，矛盾淡化，冲突歇息，太平盛世，其乐何如，其雅何如！但愿人们日日如此，长命百岁！

第三十九回　村老老是信口开河　情哥哥偏寻根究底

话说众人见平儿来了，都说：『你们奶奶做什么呢，怎么不来了？』平儿笑道：『他那里得空儿来？因为说没好生吃得，又不得来，所以叫我来问还有没有，叫我要几个，拿了家去吃罢。』湘云道：『有，多着呢。』忙命人拿盒子装了十个极大的，平儿道：『多拿几个团脐的。』众人又拉平儿坐，平儿不肯，李纨拉着他笑道：『偏要你坐。』（难得『老农』好兴致。）拉着他身旁坐下，端了一杯酒，送到他嘴边，平儿忙喝了一口，就要走，李纨道：『偏不许你去。显见得你只有凤丫头，就不听我的话了。』说着，又命嬷嬷们：『先送了盒子去，就说我留下平儿了。』那婆子一时拿了盒子回来，说：『二奶奶说，叫奶奶和姑娘们别笑话要嘴吃。这个盒子里，方才舅太太那里送来的菱粉糕和鸡油卷儿，给奶奶姑娘们吃的。』又向平儿道：『说使唤你来，你就贪住玩，不去了，劝你少喝一钟儿罢。』平儿笑道：『多喝了，又把我怎么样？』一面说，一面只管喝，又吃螃蟹。李纨揽着他笑道：『可惜这么个好体面模样儿，命却平常，只落得屋里使唤。不知道的人，谁不拿你当做奶奶太太看？』（李纨喜平儿，她们的为人处世有相近处。『命』并不公正。李纨当有体会。）

平儿一面和宝钗湘云等吃喝着，一面回头笑道：『奶奶，别这样摸的我怪痒痒的。』李氏道：『嗳哟！这硬的是什么？』（洋人读到这里很可能想入非非。）平儿道：『是钥匙。』李氏道：『有什么要紧的东西怕人偷了去，却带在身上？我成日家和人说笑：有个唐僧取经，就有个白马来驮着他；刘智远打天下，就有个瓜精来送盔甲；有个凤丫头，就有个你！你就是你奶奶的一把总钥匙，还要这钥匙做什么？』（比喻极好，李纨老到——并非槁木死灰也。）平儿笑道：『奶奶吃了酒，又拿我来打趣着取笑儿了。』（通过轻松说笑表达对于平儿角色的重要评价，写来不费力，却见匠心。）

宝钗笑道：『这倒是真话。我们没事评论起来，你们这几个，都是百个里头挑不出一个来的。妙在各人有各人的好处。』（宝钗有知人之长。）李纨道：『大小都有个天理，比如老太太屋里，要没那个鸳鸯，如何使得？从太太起，那一个敢驳老太太的回，他现敢驳回，偏老太太只听他一个人的话。老太太的那些穿带的，别人不记得，他都记得。要不是他经管着，不知叫人诓骗了多少去呢。那孩子心也公道，虽然这样，倒常替人上好话儿，还倒不倚势欺人的。』（难得。）惜春笑道：『老太太昨日还说呢，他比我们还强呢。』平儿道：『那原是个好的，我们那里比得上他？』宝玉道：『太太屋里的彩霞，是个老实人。』探春道：『可不是，外头「老实」，心里可有数儿。太太是那么「佛爷」似的，事情上不留心，他都知道。凡一应事，却是他提着太太行，连老爷在家出外去的一应大小事，他都知道，太太忘了，他背后告诉太太。』（更佳。每个屋里的大丫头，都是『秘书长』呢。）

李纨道：『那也罢了。』指着宝玉道：『这一个小爷屋里，要不是袭人，你们度量到个什么田地？凤丫头就是个楚霸王，也得两只膀子好举千斤鼎，他不是这丫头，他就得这么周到了？』平儿道：『先时赔了四个丫

头来，死的死，去的去，只剩下我一个孤鬼儿了。』李纨道：『你倒是有造化的，凤丫头也是有造化的。想当初珠大爷在日，何曾也没两个人？你们看，我还是那容不下人的？天天只见他两个不自在，所以你珠大爷一没了，趁年轻我都打发了。若有一个好的守得住，我到底有个膀臂了。』说着不觉眼圈儿红了。（也是乐极生悲。李纨的悲哀当然不在没有好使的丫头而在没有丈夫，但她不能动辄为丈夫而哭，便把遗憾的心情迁移到丫头上。）众人都道：『这又何必伤心，不如散了倒好。』说着，便都洗了手，大家约着往贾母王夫人处问安。众婆子丫头打扫亭子，收洗杯盘。袭人便和平儿一同往前去。

（高兴至极，忽然李纨伤心，因平儿而伤心。李纨平儿，或李纨对平儿，互相有一种什么样的心情呢？『不如散了倒好』。无差别境界只是昙花一现。转眼又是种种恩怨、计较、阴谋、摩擦，至少也是探听摸底。实在是累人。

袭人因让平儿到房里坐坐，再吃一钟茶。平儿回说：『不吃茶了，再来罢。』一面说，一面便要出去。袭人又叫住，问道：『这个月的月钱，连老太太、太太还没放呢，是为什么？』平儿见问，忙转身至袭人跟前，又见方近无人，悄悄说道：『你快别问，横竖再迟两天就放了。』袭人笑道：『这是为什么，唬的你这个样儿？』平儿悄声告诉他道：『这个月的月钱，我们奶奶早已支了，放给人使呢。等别处利钱收了来，凑齐了才放呢。（靠时间差中饱吃利，『红』已有之。）因为是你，我才告诉你，可不许告诉一个人去。』（平儿与袭人什么关系，能透露这样的核心机密？平儿几个脑袋？）袭人笑道：『他难道还短钱使？还没个足厌？何苦还操这心？』平儿笑道：『何曾不是呢。他这几年，只拿着这一项银子翻出有几百来了。他的公费月例又使不着，十两八两零碎攒了，又放出去，只他这体已利钱，一年不到，

上千的银子呢。』（管中窥豹，可见一斑。）袭人笑道：『拿着我们的钱，你们主子奴才赚利钱，哄的我们呆等。』

平儿道：『你又说没良心的话！你难道还少钱使？』袭人道：『我虽不少，只是我也没地方使去，就只预备我们那一个。』（平儿、袭人这个档次，有自己的关系网，有自己的语言。）平儿道：『你倘若有紧要事用银钱使时，我那里还有几两银子，你先拿来使，明日我扣下你的就是了。』袭人道：『此时也用不着，怕一时要用起来不够了，我打发人去取就是了。』（埋伏着怎样的用意？）

平儿答应着，一径出了园门，只见凤姐那边打发人来找平儿，说：『奶奶有事等你。』平儿道：『有什么事，这么要紧？我为大奶奶拉扯住说话儿，我又不逃了，这么连三接四的叫人来找！』（为何有不耐烦情绪？是小烦见真情么？）那丫头说道：『你去不去由你，犯不上恼我，你自己敢与奶奶说去。』

平儿啐了一口，急忙走来，只见凤姐儿不在房里，忽见上回来打抽丰的那刘老老和板儿又来了，坐在那边屋里，还有张材家的周瑞家的陪着；又有两三个丫头在地下倒口袋里的枣子、倭瓜并些野菜。众人见他进来，都忙站起来了。刘老老因上次来过，知道平儿的身分，忙跳下地来，（不但是下地而且是跳下地，果然『忙』于致敬。也说明老身『脚』矫健。并说明写得活现。着一『跳』字而出彩矣。）问：『姑娘好？』又说：『家里都问好。早要来请姑奶奶的安，看姑娘来的，因为庄家忙。好容易今年多打了两石粮食，瓜果菜蔬也丰盛，这是头一起摘下来的，并没敢卖呢，留的尖儿，孝敬姑奶奶、姑娘们尝尝。姑娘们天天山珍海味的，也吃腻了，吃个野菜儿，也算我们的穷心。』（这是一种直觉的健康意识。）平儿忙道：『多谢费心。』又让坐，自己坐了，又让：『张婶子周大娘坐。』命小丫头子：『倒茶去。』周瑞张材两家的因笑道：『姑娘今日脸上有些春色，眼圈儿都红了。』平儿笑道：『可不是，我原是不吃的，大奶奶和姑娘们只是拉着死灌，不得已喝了两钟，脸就红了。』张材家的笑道：『我倒想着要吃呢，又没人让我。明日再有人请姑娘，可带了我去罢。』说着，大家都笑了。

（刘老老说来就来，说走就走。来则必胜，顺山顺水，一串绿灯，所向披靡，真神人也。读完《红楼梦》，掩卷思之，最幸运的人就是刘老老。但未必有几个人愿做刘老老。还是愿当宝玉、贾母乃至凤姐的人多。）

周瑞家的道：『早起我就看见那螃蟹了，一斤只好秤两个三个，这么两三大篓，想是有七八十斤呢。』周瑞家的又道：『若是上上下下，只怕还不够。』平儿道：『那里都吃？不过都是有名儿的吃两个子。那些散众，也有摸得着，也有摸不着的。』（有摸得着，有摸不着的，能没有怨忿吗？能没有矛盾、危机吗？）刘老老道：『这样螃蟹，今年就值五分一斤，十斤五钱，五五二两五，三五一十五，再搭上酒菜，一共倒有二十多两银子。阿弥陀佛！这一顿的钱，够我们庄家人过一年的了。』

平儿因问：『想是见过奶奶了？』刘老老道：『见过了，叫我们等着呢。』说着，又往窗外看天气，说道：『天好早晚了，我们也去罢，别出不去城，才是饥荒呢。』周瑞家的道：『这话倒是，我替你瞧瞧去。』说着，一径去了，半日方来，笑道：『可是你老的福来了。（福怎么来的？踏破铁鞋无觅处，得来全不费功夫。）竟投了这两个人的缘了。』平儿等问：『怎么样？』周瑞家的笑道：『二奶奶在老太太跟前呢，我原是悄悄的告诉二奶奶：「刘老老要家去呢，怕晚了赶不出城去。」二奶奶说：「大远的，难为他扛了些东西来，晚了就住一夜，明日再去。」这可不是投上二奶奶的缘了？这也罢了，偏生老太太又听见了，问：「刘老老是谁？」二奶奶便回明白了。老太太又说：「我正想个积古的老人家说话儿，请了来我见一见。」（富人需要个人陪着说话。如今——例如美国，便有雇人陪同聊天的。）这可不是想不到的投上缘了？」说着，催刘老老下来前去。刘老老道：「我这生象儿，怎好见的？好嫂子，你就说我去了罢。」平儿忙道：「你快去罢，不相干的。我们老太太最是惜老怜贫的，比不得那个狂三诈四的那些人。（暴发户才狂三诈四。）想是你怯上，我和周大娘送你去。」说着，同周瑞家的引了刘老老往贾母这边来。

二门口该班的小厮们见了平儿出来，都站了起来，有两个又跑上来，赶着平儿叫「姑娘」。平儿问道：「又说什么？」那小厮笑道：「这会子也好早晚了，我妈病着，等我去请大夫。好姑娘，我讨半日假，可使得？」平儿道：「你们倒好，都商议定了，一天一个，告假又不回奶奶，只和我胡缠。前日住儿去了，二爷偏生叫他，叫不着，我应起来了，还说我做了情。你今日又来了。」周瑞家的道：「当真的他妈病了，姑娘也替他应着，放了他罢。」（奴才中的等级关系、管理运作中不乏人情味。）平儿道：「明日一早来。听着，我还要使你呢，再睡的日头晒着屁股再来！你这一去，带个信儿给旺儿，就说奶奶的话，问着他那剩的利钱，明日若不交来，奶奶不要了，爽性送他使罢。」（凤姐的舞弊中饱，竟是半公开的么？）那小厮欢天喜地，答应去了。

平儿等来至贾母房中，彼时大观园中姊妹们都在贾母前承奉，刘老老进去，只见满屋里珠围翠绕、花枝招展的，并不知都系何人。只见一张榻上，独歪着一位老婆婆，身后坐着一个纱罗裹的美人一般的小丫鬟，在那里捶腿。（像一幅画。至今有些国人以为歪在榻上待客是身份和享受。）凤姐儿站着正说笑。刘老老便知是贾母了，忙上来，陪着笑，福了几福，口里说：「请老寿星安。」贾母亦忙欠身问好，又命周瑞家的端过椅子来坐着。（俯就中也有满足与得意的享受。正如受宠也很痛苦。）那板儿仍是怯人，不知问候。贾母道：「老亲家，你今年多大年纪了？」刘老老忙起身答道：「我今年七十五了。」贾母向众人道：「这么大年纪了，还这么硬朗，比我大好几岁呢。（贾母呢，七十二三岁？）我要到这么年纪，还不知怎么动不得呢。」刘老老笑道：「我们生来是受苦的人，老太太生来是享福的，若我们也这样，那些庄家活也没人做了。」（极奉承，又极讽刺。时过境迁之后，所有的奉承都成了讽刺也。）贾母道：「眼睛牙齿都还好？」刘老老道：「都还好，就是今年左边的槽牙活动了。」贾母道：「我老了，都不中用了，眼也花，耳也聋，记性也没了。你们这些老亲戚，我都记不得了。亲戚们来了，我怕人笑我，我都不会。不过嚼得动的吃两口，睡一觉；闷了时，和这些孙子孙女儿玩笑一回就完了。」（贾母难得找到个人诉诉苦。）刘老老笑道：「这正是老太太的福了。我们想这么着不能。」贾母道：「什么『福』，不过是老废物罢了。」说的大家都笑了。（谈话有时也需要超功利，找一个最不相干的、毫无利害与事务关系的对象谈，才最好谈。）

贾母又笑道：「我才听见凤哥儿说，你带好些瓜菜儿，我叫他快收拾去了。我正想个地里现结的瓜儿菜儿吃，外头买的不像你们地里的好吃。」（养尊处优者更需要泥土气息。）刘老老笑道：「这是野意儿，不过吃个新鲜。依我们，倒想鱼肉吃，只是吃不起。」贾母又道：「今日既认着了亲，别空空的就去，不嫌我这里，就住一两天再去。我们也有个园子，园子里头也有果子，你明日也尝尝，带些家去，也算是看亲戚一趟。」凤姐儿见贾母喜欢，也忙留道：「我们这里虽不比你们的场院大，空屋子还有两间，你住两天，把你们那里的新闻故事儿，说些与我们老太太听听。』（希望获取点新鲜信息。）贾母笑道：『凤丫头，别拿他取笑儿，他是屯里人，老实，那里搁得住你打趣？』说着，又命人去先抓果子与板儿吃。板儿见人多了，又不敢吃。贾母又命拿些钱给他，叫小么儿们带他外头玩去。刘老老吃了茶，便把些乡村中所见所闻的事情说与贾母听，贾母越发得了趣味。

（大观园虽然『天堂』，毕竟是人造的自然，封闭的自然，狭小的自然。贾母不能走马观花，更不能下马看花，便召见一下来自大世界大自然的贫民，也可以算是一种开放的萌芽，一种换换口味的聊胜于无的寄托，一种可怜的兴味吧。天堂如果封闭起来，就不再是天堂，而变成天堂的反面了。）

正说着，凤姐儿便命人请刘老老吃晚饭，贾母又将自己的菜拣了几样，命人送过去与刘老老吃。凤姐知道合了贾母的心，吃了饭便又打发过来。鸳鸯忙命老婆子带了刘老老去洗了澡，自己去挑了两件随常的衣服，命给刘老老换上。那刘老老那里见过这般行事？忙换了衣裳出来，坐在贾母榻前，又搜寻些话出来说。彼时宝玉姊妹们也都在这里坐着，他们何曾听见过这些话，自觉比那些瞽目先生说的书还好听。（一是少爷小姐们少见多怪，一是百姓生活确有趣味，一是刘老老善于忽悠。）

那刘老老虽是个村野人，却生来的有些见识，况且年纪老了，世情上经历过的，见头一个贾母高兴，第二件这些哥儿姐儿们都爱听，便没话也编出些话来讲。因说道：『我们村庄上种地种菜，每年每日，春夏秋冬，风里雨里，那里有个坐着的空儿？天天都是在那地头上做歇马凉亭，什么奇奇怪怪的事不见呢。就像去年冬天，接连下了几天雪，地下压了三四尺深，我那日起得早，还没出房门，只听外头柴草响，我想着必定有人偷柴草来了，我巴着

窗眼儿一瞧，却不是我们村庄上的人。』（真正的假语村言。刘老老的信口开河放到这里，似胡言乱语，又似颇有深意，令人心头一震。）贾母道：『必定是过路的客人们冷了，见现成的柴，抽些烤火去，也是有的。』刘老老笑道：『也并不是客人，所以说来奇怪。老寿星当个什么人？原来是一个十七八岁极标致的一个小姑娘，梳着溜油光的头，穿着大红袄儿，白绫子裙儿……』刚说到这里，忽听外面人吵嚷起来，又说：『不相干的，别唬着老太太。』贾母等听了，忙问：『怎么了？』丫鬟回说：『南院马棚子里走了水了，不相干，已经救下去了。』（这『水』走得时机奇特？）贾母最胆小的，听了这话，忙起身扶了人出至廊上来瞧，只见东南上火光犹亮。贾母唬得口内念佛，又忙命人去火神跟前烧香，（贾母有一种灾难的预感。登高必跌，然也。也是预兆，也是警告。）王夫人等也忙都过来请安，又回说：『已经救下去了，老太太请进房去罢。』贾母足足的看火光熄了，方领众人进来。

宝玉且忙问刘老老：『那女孩儿大雪地里做什么抽柴草？倘或冻出病来呢？』贾母道：『都是才说抽柴草，惹出火来了，你还问呢。别说这个了，再说别的罢。』宝玉听说，心内虽不乐，也只得罢了。刘老老便又想了一遍，说道：『我们庄子东边庄上有个老奶奶子，今年九十多岁了，他天天吃斋念佛，谁知就感动了观音菩萨，夜里来托梦，说：「你这么虔心，原本你该绝后的，如今奏了玉皇，给你个孙子。」原来这老奶奶只有一个儿子，这儿子也只一个儿子，好容易养到十七八岁上，死了，哭的什么儿似的。落后，果然又生了一个，今年才十三四岁，长得粉团儿一般，聪明伶俐非常。可见这些神佛是有的。』（神奇、神秘、神妙，到处都有，你感觉得到吗？）

这一夕话，暗合了贾母王夫人的心事，连王夫人也都听住了。（有意投合？无意暗合？）宝玉心中只记挂着抽柴

的故事，因闷得心中筹画。探春因问他：『昨日扰了史大妹妹，咱们回去商议着邀一社，又还了席，也请老太太赏菊花何如？』宝玉笑道：『老太太说了，还要摆酒还史妹妹的席，叫咱们做陪呢。等吃了老太太的，咱们再请不迟。』探春道：『越往前去越冷了，老太太未必高兴。』宝玉道：『老太太又喜欢下雨下雪的，不如咱们等下头场雪，请老太太赏雪岂不好？咱们雪下吟诗，也更有趣了。』（有为以后情节铺垫的作用。）黛玉忙笑道：『咱们雪下吟诗，依我说，还不如弄一捆柴火，雪下抽柴，还更有趣儿呢！』（有回声余响。）说着，宝钗等都笑了。宝玉瞅了他一眼，也不答话。

一时散了，背地里宝玉到底拉了刘老老，细问：『那女孩儿是谁？』刘老老只得编了告诉他，道：『那原是我们庄北沿儿地埂子上，有一个小祠堂里，供的不是神佛，当先有个什么老爷……』说着，又想名姓。宝玉道：『不拘什么名姓，也不必想了，只说原故就是了。』刘老老道：『这老爷没有儿子，只有一位小姐，名叫若玉小姐，知书儿识字，老爷太太爱如珍宝。可惜这若玉小姐生到十七岁，一病死了。』（『若玉』之名有趣。另有版本叫『茗玉』。若哪个玉？无怪宝玉浮想联翩。『红』中各色人物，若玉也是个若有若无若实若虚的人物。）宝玉听了，跌足叹惜，又问：『后来怎么样？』刘老老道：『因为老爷太太思念不尽，便盖了这祠堂，塑了这若玉小姐的像，派了人烧香拨火。如今日久年深的，人也没了，庙也烂了，那像也就成了精。』宝玉忙道：『不是成精，规矩这样人是虽死不死的。』刘老老道：『阿弥陀佛！原来如此。不是哥儿说，我们都当他成了精。他时常变了人出来各村庄店道上闲逛。我才说抽柴火的，就是他了。我们村庄上的人还商量着要打了这塑像平了庙呢。』宝玉忙道：『快别如此，若平了庙，罪过不小。』刘老老道：『幸亏哥儿告诉我，我明日回去，拦住他们就是了。』宝玉道：『我们老太太、太太都是善人，（逼死金钏却忘了么？）就是合家大小，也都好善喜舍，最爱修庙塑神的。我明日做一个疏头，替你化些布施，你就做香头，攒了钱，把这庙修盖，再装塑了泥像，每月给你香火钱烧香，好不好？』刘老老道：『若这样时，我托那小姐的福，也有几个钱使了。』

宝玉又问他地名庄名，来往远近，坐落何方，刘老老便顺口诌了出来。宝玉信以为真，回至房中，盘算了一夜，次日一早，便出来给了焙茗几百钱，着焙茗去先踏看明白，回来再作主意。

那焙茗去后，宝玉左等也不来，右等也不来，急得热锅上的蚰蜒一般。好容易等到日落，方见焙茗兴兴头头的回来了，宝玉忙问：『可找着了？』焙茗笑道：『爷听得不明白，叫我好找！那地名坐落，不似爷说的一样，所以找了一日，找到东北角田埂子上，才有一个破庙。』（虚事实办，神务俗化，假想求真，将刘老老些许浪漫喜剧化了。）宝玉听说，喜得眉开眼笑，忙说道：『刘老老有年纪的人，一时错记了，也是有的。你且说你见的。』焙茗道：『那庙门都倒也朝南开，也是稀破的。我找的正没好气，一见这个，我就可好了。连忙进去，一看泥胎，唬的我又跑出来了，活像真的一般。』（处处提醒，真假难辨，认同危机。）宝玉喜的笑道：『他能变化人了，自然有些生气。』焙茗拍手道：『那里是什么女孩儿？竟是一位青脸红发的瘟神爷！』宝玉听了，啐了一口，骂道：『真是一个无用的杀材，这点子事也干不来！』焙茗道：『爷又不知看了什么书，或者听了谁的混话，信真了，把这件没头脑的事，派我去碰头，怎么说我没用呢？』（『红』的优点在于它容纳了、凸显了不少『没头脑』的事，生活而不泥于生活，日常而不限于日常。）宝玉见他急了，忙抚慰他道：『你别急，改日闲了，你再找去。若是他哄我们呢，自然没了；若竟是有的，你岂不也积了阴骘？我必重重的赏你呢。』

这个故事讲得吸引人。戛然而止，更神。这就够了。既然是故事，何必索隐考据？便证实或证伪了，又如何呢？刘老老信口开河，明言其假。宝玉认真对待，极述其真。说到柴火引起了火，似有一种神秘的感应。此后刘老老接着讲下去的，是她原先想的那个故事吗？这里似有断裂焉。焙茗费了半天劲，找到一个瘟神，聊供一笑吗？在十分真切、感同身受的生活画面之间之中，出现这样一个扑朔迷离的段落，令人遐思，令人迷惑，乃至令人战栗。不能给以充分完全的解释也罢，至少在艺术上，它是必要的与奇妙的。而我们今天的一些作家，是怎样地不会不想不敢奇妙呀！

说着，只见二门上的小厮来说：『老太太房里的姑娘们站在二门口找二爷呢。』不知找他有何言语，下回分解。

这里的刘老老几像一方神圣。她的创作水平极高。宝玉过分认真，像我们的某些红学家，刻舟求剑，胶柱鼓瑟。其实国人是最聪明的，可以心领神会，可以姑妄听之，可以连连点头，可以宁信其有，可以敬之如在，何必一定要找出一位青脸红发的瘟神爷呢？

第四十回　史太君两宴大观园　金鸳鸯三宣牙牌令

话说宝玉听了，忙进来看时，只见琥珀站在屏风跟前，说：『快去罢，立等你说话呢。』宝玉来至上房，只见贾母正和王夫人众姐妹商议给史湘云还席。（都是『无事忙』。）宝玉因说：『我有个主意：既没有外客，吃的东西也别定了样数，谁素日爱吃的，拣样儿做几样。也不必按桌席，每人跟前摆一张高几，各人爱吃的东西一两样，再一个十锦攒心盒子，自斟壶，岂不别致？』（分餐制，『红』已有之，专利应属宝玉。）贾母听了，说：『很是。』即命人传与厨房：『明日就拣我们爱吃的东西做了，按着人数，再装了盒子来。早饭也摆在园里吃。』商议之间，早又掌灯，一夕无话。

次日清早起来，可喜这日天气清朗。李纨清晨起来，看着老婆子丫头们扫那些落叶，并擦抹桌椅，预备茶酒器皿；只见丰儿带了刘老老板儿进来，说：『大奶奶倒忙的紧。』李纨笑道：『我说你昨日去不成，只忙着要去。』刘老老笑道：『老太太留下我，叫我也热闹一天去。』丰儿拿了几把大小钥匙，说道：『我们奶奶说了：外头的高几恐不够使，不如开了楼，把那收的拿下来使一天罢。奶奶原该亲自来的，因和太太说话呢，请大奶奶开了，带着人搬罢。』李氏便命素云接了钥匙，又命婆子出去，把二门上小厮叫几个来。李氏站在大观楼下，往上看着，命人上去开了缀锦阁，一张一张的往下抬。小厮、老婆子、丫头一齐动手，抬了二十多张下来。李纨道：『好生着，别慌慌张张鬼赶着似的，仔细碰了牙子。』又回头向刘老老笑道：『老老也上去瞧瞧。』（不但炫耀使的用的吃的穿的住的，还要炫耀仓库里放着的。）刘老老听说，巴不得一声儿，拉了板儿登梯上去，进里面，只见乌压压的，堆着些围屏、桌、椅、大小花灯之类，虽不大认得，只见五彩炫耀，各有奇妙。念了几声佛，便下来了。然后锁上门，一齐才下来。李纨道：『恐怕老太太高兴，越发把船上划子、篙、桨、遮阳幔子，都搬了下来预备着。』众人答应，又复开了门，色色的搬了下来。命小厮传驾娘们，到船坞里撑出两只船来。

正乱着，只见贾母已带了一群人进来了，李纨忙迎上去，笑道：『老太太高兴，倒进来了；我只当还没梳头呢，才掐了菊花要送去。』一面说，一面碧月早已捧过一个大荷叶式的翡翠盘子来，里面养着各色折枝菊花，贾母便拣了一朵大红的簪了鬓上；因回头看见了刘老老，忙笑道：『过来带花儿。』一语未完，凤姐儿便拉过刘老老来，笑道：『让我打扮你。』说着，把一盘子花，横三竖四的插了一头。贾母和众人笑的不住。刘老老笑道：『我这头也不知修了什么福，今儿这样体面起来。』众人笑道：『你还不拔下来摔到他脸上呢，把你打扮的成了老妖精了。』刘老老笑道：『我虽老了，年轻时也风流，爱个花粉儿的，今儿老风流才好。』（难得的是刘老老这种配合，要什么有什么。）

说话间，已来至沁芳亭上，丫鬟们抱了一个大锦褥子来，铺在栏杆榻板上，贾母倚栏坐下，（越享福就越会舒舒服服地享福。）命刘老老也坐在旁边，因问他：『这园子好不好？』刘老老念佛说道：『我们乡下人，到了年下，都上城来买画儿贴，时常闲了，大家都说：「怎么得也到画儿上逛逛。」想着那个画儿也不过是假的，那里有这个真地方？谁知我今儿进这园里一瞧，竟比那画儿还强十倍！怎么得有人也照着这个园子画一张，我带了家去给他们见见，死了也得好处。』（乡下人极善表达，有所比附，说得又质朴，反而更有表现力。）贾母听说，指着惜春笑道：『你瞧我这个小孙女儿，他就会画；等明儿叫他画一张如何？』刘老老听了，喜的忙跑过来，拉着惜春说道：『我的姑娘！你这么大年纪儿，又这么个好模样儿，还有这个能干，必是个神仙托生的罢？』（如果惜春是神仙托生的，板儿又是什么托生的呢？）

关上门自己吹自己捧实没意思。所以很需要这样一位刘老老前来大惊小怪，洋相百出，赞不绝口，歌盛颂德，使贾府的主子们更体会到自己的优越，更加确认自己是生活在天堂里。只有刘老老和她的乡下而没有大观园，固是遗憾，只有大观园而没有刘老老的一边念佛一边夸赞一边耍丑，也是遗憾。

贾母少歇一回，自然领着刘老老都见识见识，先到了潇湘馆。一进门，只见两边翠竹夹路，土地下苍苔布满，中间羊肠一条石子漫的路。（不同的季节，不同的人走大观园，会有不同的发现和感受。）刘老老让出来与贾母众人走，自己却走土地。琥珀拉他道：『老老，你上来走，仔细青苔滑倒了。』刘老老道：『不相干的，我们走熟了的，姑娘们只管走罢。可惜你们的绣鞋，必沾了泥。』他只顾上头和人说话，不防脚底下果踩滑了，『咕咚』一交跌倒，众人都拍手呵呵的笑。贾母笑骂道：『小蹄子们！还不搀起来，只站着笑。』说话时，刘老老已爬了起来，自己也笑了，说道：『才说嘴，就打了嘴。』贾母问他：『可扭了腰了不曾？叫丫头们捶一捶。』刘老老道：『那里说的我这么娇嫩了，那一天不跌两个子？都要捶起来，还了得呢。』（连这一跤也跌得好，使老老更加可爱可喜。）

紫鹃早打起湘帘，贾母等进来坐下，黛玉亲自用小茶盘捧了一盖碗茶来，奉与贾母。王夫人道：『我们不吃茶，姑娘不用倒了。』林黛玉听说，便命丫头把自己窗下常坐的一张椅子挪到下手请王夫人坐了。刘老老因见窗下案上设着笔砚，又见书架上磊着满满的书，刘老老道：『这必定是那位哥儿的书房了？』贾母笑指黛玉道：『这是我这外孙女儿的屋子。』刘老老留神打量了林黛玉一番，方笑道：『这那里像个小姐的绣房？竟比那上等的书房还好。』

贾母因问：『宝玉怎么不见？』众丫头们答道：『在池子里船上呢。』贾母道：『谁又预备下船了？』李纨忙回说：『才开楼拿的。我恐怕老太太高兴，就预备下了。』（不但有小姐用的书房，还有池子里的船。天下能有多少好东西，都归了他们家。）贾母听了，方欲说话时，有人回说：『姨太太来了。』贾母等刚站起来，只见薛姨妈早进来了，一面归坐，笑道：『今儿老太太高兴，这早晚就来了。』贾母笑道：『我才说，来迟了的要罚他，不想姨太太就来迟了。』说笑一回。

贾母因见窗上纱颜色旧了，便和王夫人说道：『这个纱新糊上好看，过了后来就不翠了。这个院子里头又没有个桃杏树，这竹子已是绿的，再拿这绿纱糊上，反不配。我记得咱们先有四五样颜色糊窗的纱呢，明儿给他把这窗上的换了。』（糊个窗户也无限风光，无限高贵。）凤姐儿忙道：『昨儿我开库房，看见大板箱里还有好几匹银红蝉翼纱，也有各样折枝花样的，也有流云蝙蝠花样的，也有百蝶穿花花样的，颜色又鲜，纱又轻软，我竟没见这个样的。拿了两匹出来，做两床绵纱被，想来一定是好的。』贾母听了笑道：『呸！人人都说你没有不经过不见过的，连这个纱还不能认得呢，明儿还说嘴。』薛姨妈等都笑说：『凭他怎么经过见过，如何敢比老太太呢。老太太何不教导了他，连我们也听听。』凤姐儿也笑说：『好祖宗！教给我罢。』

贾母笑向薛姨妈众人道：『那个纱，比你们的年纪还大呢。怪不得他认做蝉翼纱，原也有些像。不知道的，都认做蝉翼纱。正经名字叫「软烟罗」。』（老太太见多识广，外松内紧，岂仅只是辈分高。）凤姐儿道：『这个名儿也好听，只是我这么大了，纱罗也见过几百样，从没听见过这个名色。』贾母笑道：『你能活了多大？见过几样东西？就说嘴来了。那个软烟罗只有四样颜色：一样雨过天青，一样秋香色，一样松绿的，一样就是银红的。若是做了帐子，糊了窗屉，远远的看着，就似烟雾一样，所以叫做「软烟罗」。那银红的又叫做「霞影纱」。如今上用的府纱，也没有这样软厚轻密的了。』（属于纺织工艺。尽管「色即是空」，写起这些荣华富贵织锦美色来，曹公的得意之情溢于笔端。）

薛姨妈笑道：『别说凤丫头没见，连我也没听见过。』

凤姐儿一面说话，早命人取了一匹来了。贾母说：『可不是这个！先时原不过是糊窗屉，后来我们拿这个做被做帐子试试，也竟好。明日就找出几匹来，拿银红的替他糊窗子。』（多积蓄，高消费，炫耀奢华……没有几个读者有这种大富之家的经验。但读起来津津有味。不知这是否也反映了一种物质消费欲望。）凤姐答应着。众人看了，都称赞不已。刘老老也觑着眼看，口里不住的念佛，（为何念佛？因为羡慕？惊叹？还是觉得罪过？）说道：『我们想做衣裳也不能，拿着糊窗子岂不可惜？』贾母道：『倒是做衣裳不好看。』凤姐忙把自己身上穿的一件大红绵纱袄的襟子拉出来，向贾母薛姨妈道：『看我的这袄儿。』贾母薛姨妈都说：『这也是上好的了，这是如今上用内造的，竟比不上这个。』凤姐儿道：『这个薄片子还说是内造上用呢，竟连这个官用的也比不上了。』（这是否说明经济结构、生产发展的一些变化，也在突破原有的秩序呢？「超稳定」也不可能一成不变。）贾母道：『再找一找，只怕还有，若有时，都拿出来，送这刘亲家两匹。有雨过天青的，我做一个帐子挂上。剩的配上里子，做些个夹背心子给丫头们穿，白收着霉坏了。』凤姐儿忙答应了，仍命人送去。（衣、食、住、玩，都要讲究，写透。没有多少「行」，他们不行，而是关起门来「万物皆备于我」。大至于国，小至于家，都搞闭锁。焉得不退化衰败？）

贾母便笑道：『这屋里窄，再往别处逛去罢。』刘老老笑道：『人人都说，「大家子住大房」，昨儿见了老太太正房，配上大箱、大柜、大桌子、大床，果然威武。那柜子比我们一间房子还大，还高。怪道后院子里有个梯子，我想又不上房晒东西，预备这梯子做什么？后来我想起来，定是为开顶柜取放东西，离了那梯子怎么得上去呢？如今又见了这小屋子，更比大的越发齐整了；满屋里东西都只好看，都可不知叫什么。我越看越舍不得离了这里。』（对贾府的消费盛况，已通过元妃省亲的前后作了一番浓墨重彩的描写，现在再通过刘老老来个一惊一乍的赞叹。）

凤姐道：『还有好的呢，我都带你去瞧瞧。』

说着，一径离了潇湘馆，远远望见池中一群人在那里撑船。贾母道：『他们既备下船，咱们就坐一回。』说着，向紫菱洲蓼溆一带走来。未至池前，只见几个婆子手里都捧着一色摄丝戗金五彩大盒子走来，凤姐忙问王夫人：『早饭在那里摆？』王夫人道：『问老太太在那里就在那里罢了。』贾母听说，便回头说：『你三妹妹那里好，你就带了人摆去，我们从这里坐了船去。』（一个园子里什么都有了，水路交通也有了。）

凤姐儿听说，便回身同了李纨、探春、鸳鸯、琥珀带着端饭的人等，抄着近路到了秋爽斋，就在晓翠堂上调开桌案。鸳鸯笑道：『天天咱们说外头老爷们吃酒吃饭，都有个凑趣儿的，拿他取笑儿。咱们今儿也得一个女清客了。』（越是高级奴婢，越不厚道。）李纨是个厚道人，听了不解；凤姐儿却知说的是刘老老了，也笑说道：『咱们今儿就拿他取个笑儿。』二人便如此这般商议。李纨笑劝道：『你们一点好事也不做，又不是个小孩儿，还这么淘气，仔细老太太说。』鸳鸯笑道：『很不与大奶奶相干，有我呢。』（鸳鸯是有经验有分寸的，如果不『用足』政策，活不起来，老太太也不尽兴，故不能按李纨的规格组织娱乐活动。当然也不能过，不能逾越了森严的上下主权界线。）

正说着，只见贾母等来了，各自随便坐下，先有丫鬟端过两盘茶来。大家吃毕，凤姐手里拿着西洋布手巾，裹着一把乌木三镶银箸，按席摆下。贾母因说：『把那一张小楠木桌子抬过来，让刘亲家挨着我这边坐。』众人听说，忙抬了过来。凤姐一面递眼色与鸳鸯，鸳鸯便忙拉刘老老出去，悄悄的嘱咐了刘老老一席话，又说：『这是我们家的规矩，若错了，我们就笑话呢。』（享不尽荣华富贵，做不完生日宴会，颂不完皇恩盛世，看不尽风光点缀，原以为天长地久永不堕，却谁知喜中含忧终枯萎。）

调停已毕，然后归坐。薛姨妈是吃过饭来的，不吃，只坐在一边吃茶。贾母带着宝玉、湘云、黛玉、宝钗一桌，王夫人带着迎春姐妹三人一桌，刘老老挨着贾母一桌。贾母素日吃饭，皆有小丫鬟在旁边拿着漱盂、麈尾、巾帕之物，（干脆掰着嘴喂好不好？）如今鸳鸯是不当这差的了，今日偏接过麈尾来拂着。丫鬟们知他要撮弄刘老老，便躲开让他。鸳鸯一面侍立，一面递眼色。刘老老道：『姑娘放心。』（刘老老胸有成竹，奉陪到底。）

那刘老老入了坐，拿起箸来，沉甸甸的不伏手。原是凤姐和鸳鸯商议定了，单拿了一双老年四楞象牙镶金的筷子与刘老老。（没有乡下老土，哪衬得出豪门巨富？）刘老老见了，说道：『这叉巴子，比我们那里的铁锨还沉，那里拿的动他？』（『铁锨』一词作为笑话出现在大观园生活里。）说的众人都笑起来。只见一个媳妇端了一个盒子站在当地，一个丫鬟上来揭去盒盖，里面盛着两碗菜。李纨端了一碗放在贾母桌上，凤姐偏拣了一碗鸽子蛋放在刘老老桌上。贾母这边说声『请』，刘老老便站起身来，高声说道：『老刘，老刘，食量大如牛，吃个老母猪不抬头！』

自己却鼓着腮帮子不语。众人先还发怔，后来一听，上上下下都哈哈大笑起来。湘云掌不住，一口茶都喷了出来。林黛玉笑岔了气，伏着桌子只叫“嗳哟！”宝玉滚到贾母怀里，贾母笑的搂着叫“心肝”。王夫人笑的用手指着凤姐儿，却说不出话来。薛姨妈也掌不住，口里的茶喷了探春一裙子。探春手里的茶碗都合在迎春身上。惜春离了坐位，拉着他的奶母，叫“揉一揉肠子”。地下无一个不弯腰屈背，也有躲出去蹲着笑去的，也有忍着笑上来替他姐妹换衣裳的。独有凤姐鸳鸯二人掌着，还只管让刘老老。刘老老拿起箸来，只觉不听使，又道：“这里的鸡儿也俊，下的这蛋也小巧，怪俊的。我且得一个儿。”众人方住了笑，听见这话，又笑起来。（一个乡下人果真这样可笑吗？她们实在没的可笑了吧？看不上喜剧也听不上相声。上上下下已经有了笑的意图，笑的部署，笑的准备，万事俱备，刘老老才成为上好的笑料。否则，有什么好笑的呢？）贾母笑的眼泪出来，只忍不住，琥珀在后捶着。贾母笑道：“这定是凤丫头促狭鬼儿闹的！快别信他的话了。”那刘老老正夸鸡蛋小巧，凤姐儿笑道：“一两银子一个呢，你快尝尝罢，冷了就不好吃了。”刘老老便伸筷子要夹，那里夹的起来？满碗里闹了一阵，好容易撮起一个来，才伸着脖子要吃，偏又滑下来，滚在地下，忙放下筷子，要亲自去拣，早有地下的人拣了出去了。刘老老叹道：“一两银子也没听见个响声儿就没了。”（大观园欢笑图。如画。）

众人已没心吃饭，都看着他取笑。（总有笑够了的时辰。）贾母又说：“谁这会子又把那个筷子拿了出来，又不请客摆大筵席。都是凤丫头支使的，还不换了呢。”地下的人原不曾预备这牙箸，本是凤姐同鸳鸯拿了来的，听如此说，忙收了过去，也照样换上一双乌木镶银的。刘老老道：“去了金的，又是银的，到底不及俺们那个伏手。”凤姐儿道：“菜里若有毒，这银子下去了就试的出来。”刘老老道：“这个菜里有毒，我们那些都成了砒霜了。那怕毒死了，也要吃尽了。”（这话也厉害。把乡下的生活饮食联系到砒霜上。）贾母见他如此有趣，吃的又香甜，把自己的菜也都端过来与他吃。又命一个老嬷嬷来，将各样的菜给板儿夹在碗上。

一时吃毕，贾母等都往探春卧室中去闲话，这里收拾残桌，又放了一桌。刘老老看着李纨与凤姐儿对坐着吃饭，叹道：“别的罢了，我只爱你们家这行事。怪道说‘礼出大家’。”凤姐儿忙笑道：“你可别多心，才刚不过大家取乐儿。”一言未了，鸳鸯也进来笑道：“老老别恼，我给你老人家赔个不是。”刘老老笑道：“姑娘说那里话？咱们哄着老太太开个心儿，可有什么恼的！你先嘱咐我，我就明白了，不过大家取个笑儿。我要心里恼，也就不说了。”（你想要老老，老老便装疯卖傻地逗着你玩。戏耍，永远是双向的。单向的戏耍无开心可言，便只是茶毒了。）鸳鸯便骂人：“为什么不倒茶给老老吃？”刘老老忙道：“才刚那个嫂子倒了茶来，我吃过了，姑娘也该用饭了。”凤姐儿便拉鸳鸯坐下道：“你和我们吃罢，省的回来又闹。”鸳鸯便坐下了，婆子们添上碗箸来，三人吃毕。

刘老老笑道：“我看你们这些人，都只吃这一点儿就完了，亏你们也不饿。怪道风儿都吹的倒。”鸳鸯便问：“今儿剩的不少，都那里去了？”婆子们道：“都还没散呢，在这里等着，一齐散与他们吃。”鸳鸯道：“他们吃不了这些，挑两碗给二奶奶屋里平丫头送去。”（吃顿饭也要有指挥。并反映鸳鸯与平儿的亲密关系。）凤姐道：“他早吃了饭了，不用给他。”鸳鸯道：“他吃不了，喂你的猫。”婆子听了，忙拣了两样，拿盒子送去。鸳鸯道：“素云那里去了？』李纨道：『他们都在这里一处吃，又找他做什么？』鸳鸯道：『这就罢了。』凤姐道：『袭人不在这里，你倒是叫人送两样给他去。』鸳鸯听说，便命人也送两样去。（残羹剩饭，照样引以为荣恩。吃点东西也要吆三喝四。）鸳鸯又问婆子们：『回来吃酒的攒盒，可装上了？』婆子道：『想必还得一会子。』鸳鸯道：『催着些儿。』婆子答应了。

凤姐等来至探春房中，只见他娘儿们正说笑。探春素喜阔朗，这三间屋子并不曾隔断，当地放着一张花梨大理石大案，案上磊着各种名人法帖，并数十方宝砚，各色笔筒，笔海内插的笔如树林一般。那一边设着斗大的一个汝窑花囊，插着满满的一囊水晶球的白菊。西墙上当中挂着一大幅米襄阳『烟雨图』。左右挂着一副对联，乃是颜鲁公墨迹。其联云：

烟霞闲骨格，泉石野生涯。

案上设着大鼎，左边紫檀架上放着一个大官窑的大盘，盘内盛着数十个娇黄玲珑大佛手；右边洋漆架上悬着一个白玉比目磬，傍边挂着小槌。

那板儿略熟了些，便要摘那槌子要击，丫鬟们忙拦住他。他又要那佛手吃，探春拣了一个与他，说：『玩罢，吃不得的。』东边便设着卧榻拔步床，上悬着葱绿双绣花卉草虫的纱帐。板儿又跑来看，说：『这是蝈蝈，这是蚂蚱。』刘老老忙打了他一巴掌，道：『下作黄子！没干没净的乱闹。倒叫你进来瞧瞧，就上脸了。』（板儿尚不知匍匐畏惧。老老则故意夸张地作状。）打的板儿哭起来，众人忙劝解方罢。

贾母因隔着纱窗后往院内看了一回，因说：『后廊檐下的梧桐也好了，只是细些。』正说话，忽一阵风过，隐隐听得鼓乐之声。贾母问：『是谁家娶亲呢？这里临街倒近。』王夫人等笑回道：『街上的那里听的见？这是咱们的那十来个女孩子们演习吹打呢。』贾母便笑道：『既他们演，何不叫他们进来演习，他们也逛一逛，咱们可又乐了。』凤姐听说，忙命人出去叫来，又一回吩咐摆下条桌，铺上红毡子。贾母道：『就铺排在藕香榭的水亭子上，借着水音更好听。回来咱们就在缀锦阁底下吃酒，又宽阔，又听的近。』（吃完饭看演出，『红』已有之。）众人都说：『那里好。』贾母向薛姨妈笑道：『咱们走罢，他们姊妹们都不大喜欢人来，生怕腌臜了屋子。咱们别没眼色，正经坐回子船，喝酒去。』说着，大家起身便走。探春笑道：『这是那里的话？求着老太太、姨妈、太太来坐坐还不能呢。』贾母笑道：『我的这三丫头却好，只有两个玉儿可恶，回来吃醉了，咱们偏往他们屋里闹去。』（或谓，『玉儿可恶』云云又透露了某种消息。抑或只是亲热笑谈？其实黛玉的败局已定，毋须再敏感了。）

说着，众人都笑了，一齐出来。走不多远，已到了荇叶渚。那姑苏选来的几个驾娘，早把两只棠木舫撑来，众人扶了贾母，王夫人、薛姨妈、刘老老、鸳鸯、玉钏儿上了这一只船，落后李纨也跟上去。凤姐也上去，立在船头上，也要撑船。（其乐无穷。）贾母在舱内道：『这不是玩的！虽不是河里，也有好深的，你快给我进来。』凤姐笑道：『怕什么！老祖宗只管放心。』说着，便一篙点开，到了池当中；船小人多，凤姐只觉乱晃，忙把篙子递与驾娘，方蹲下去。（可怜。）

然后迎春姊妹等并宝玉上了那只，随后跟来。其余老嬷嬷众丫鬟俱沿河随行。宝玉道：『这些破荷叶可恨，怎么还不叫人来拔去？』宝钗笑道：『今年这几日，何曾饶了这园子闲了一闲，天天逛，那里还有叫人来收拾的工夫？』林黛玉道：『我最不喜欢李义山的诗，（林黛玉为什么不喜欢李诗呢？李义山诗也是很压抑乃至相当女性的。待考。）只喜他这一句：「留得残荷听雨声。」偏你们又不留着残荷了。』宝玉道：『果然好句，以后咱们别叫拔去了。』

说着，已到了花溆的萝港之下，觉得阴森透骨，两滩上衰草残菱，更助秋兴。贾母因见岸上的清厦旷朗，便问：『这是薛姑娘的屋子不是？』众人道：『是。』贾母忙命拢岸，顺着云步石梯上去，一同进了蘅芜院，只觉异香扑鼻。那些奇草仙藤，愈冷愈苍翠，都结了实，似珊瑚豆子一般，累垂可爱。及进了房屋，雪洞一般，一色的玩器全无。案上止有一个土定瓶，中供着数枝菊花，并两部书、茶奁、茶杯而已；床上只吊着青纱帐幔，衾褥也十分朴素。（探春房中陈设像个书生，宝钗房中则强调其朴素空洞，确实高人一筹。再对比一下可卿房中陈设的香艳与宫廷气。有趣。）贾母叹道：『这孩子太老实了。你没有陈设，何妨和你姨娘要些？我也不理论，也没想到。你们的东西，自然在家里没带了来。』说着，命鸳鸯去取些古董来，又嗔着凤姐儿：『不送些玩器来与你妹妹，这样小器。』王夫人凤姐等都笑回说：『他自己不要的。我们原送了来，都退回去了。』薛姨妈也笑说道：『他在家里也不大弄这些东西。』（宝钗不喜室内摆设。这甚至使读者想到一些伟人。一般这样的人都有超常的抱负，超常的精神寄托，超常的精神生活精神追求。如甘地、毛泽东、胡志明、格瓦拉等。但宝钗当然不是这等人物。那么她是自谦？处处夹紧了尾巴？）

贾母摇头道：『使不得。虽然他省事，倘来一个亲戚，看着不像；二则年轻的姑娘们，屋里这样素净，也忌讳。（太素了也忌讳，此说有迷信成分，也有人生经验在里边。）我们这老婆子，越发该住马圈去了。你们听那些书上

戏上说的小姐们的绣房，精致的还了得呢！他们姊妹们虽不敢比那些小姐们，也不要很离了格儿。有现成的东西，为什么不摆？若很爱素净，少几样倒使得。我最会收拾屋子的，如今老了，没这闲心了。他们姐妹们也还学着收拾的好，只怕俗气，有好东西也摆坏了。我看他们还不俗。如今等我替你收拾，包管又大方又素净。我的体己两件，收到如今，没给宝玉看见过，若经了他的眼，也没了。』说着，叫过鸳鸯来，吩咐道：『你把那石头盆景儿和那架纱照屏，还有个墨烟冻石鼎这三样摆在这案上就够了。再把那水墨字画白绫帐子拿来，把这帐子也换了。』（真是无微不至的关怀。老太太讲到这里，有一种施恩的喜悦，又有一种确实自信高明的良好自我感觉。）鸳鸯答应着，笑道：『这些东西都搁在东楼上的，不知那个箱子里，还得慢慢找去，明儿再拿去也罢了。』贾母道：『明日后日，都使得，只别忘了。』（前面谈『软烟罗』已经高出一大截来了。就是对，就是好，就是高。这里甚至也有老人的天真。）说着，坐了一回，方出来，一径来至缀锦阁下。文官等上来请过安，因问：『演习何曲？』贾母道：『只拣你们熟的演习几套罢。』文官等下来，往藕香榭去不提。（贾母这样具体关心并布置宝钗的房间陈设，当然也是宝钗的殊荣。确实也逐渐透露钗黛情争的一种起伏消长。贾母的眼光、经验、心计，确不可等闲视之。有十分把握的人，才敢自嘲为『老废物』。愈没有底气的人愈要摆出一副神灵金刚的样儿来。）

这里凤姐儿已带着人摆设齐整，上面左右两张榻，榻上都铺着锦裀蓉簟，每一榻前两张雕漆几，也有海棠式的，也有梅花式的，也有荷叶式的，也有葵花式的，也有方的，有圆的，其式不一。一个上面放着炉瓶一分，攒盒一个。（享受，享受，再享受。而已，而已，如此而已。）上面二榻四几，是贾母薛姨妈；下面一椅两几，是王夫人的。余者都是一

椅一几。东边刘老老，刘老老之下便是王夫人。西边便是史湘云，第二便是宝钗，第三便是黛玉，第四迎春、探春、惜春挨次下去，宝玉在末。李纨凤姐二人之几设于三层槛内，二层纱橱之外。攒盒式样，亦随几之式样。每人一把乌银洋錾自斟壶，一个十锦珐琅杯。（长幼有序，主次有别，这符合孔子的礼治理念，但并不能解决价值与秩序的瓦解问题。）

大家坐定，贾母先笑道：『咱们先吃两杯，今日也行一个令，才有意思。』薛姨妈笑说道：『老太太自然有好酒令，我们如何会呢！安心要我们醉了，我们都多吃两杯就有了。』贾母笑道：『姨太太今儿也过谦起来，想是厌我老了。』薛姨妈笑道：『不是谦，只怕行不上来，倒是笑话了。』王夫人忙笑道：『便说不上来，只多吃了一杯酒，醉了睡觉去，还有谁笑话咱们不成。』薛姨妈点头笑道：『依令。老太太到底吃一杯令酒才是。』贾母笑道：『这个自然。』说着便吃了一杯。

凤姐儿忙走至当地，笑道：『既行令，还叫鸳鸯姐姐来行更好。』众人都知贾母所行之令，必得鸳鸯提着，故听了这话，都说：『很是。』凤姐便拉了鸳鸯过来。（近侍愈益被倚重。）王夫人笑道：『既在令内，没有站着的理。』回头命小丫头子：『端一张椅子，放在你二位奶奶的席上。』鸳鸯也半推半就，谢了坐，便坐下，也吃了一钟酒，笑道：『酒令大如军令，不论尊卑，惟我是主，违了我的话，是要受罚的。』王夫人等都笑道：『一定如此，快些说。』鸳鸯未开口，刘老老便下席，摆手道：『别这样捉弄人，我家去了。』众人都笑道：『这却使不得。』鸳鸯喝令小丫头子们：『拉上席去！』小丫头子们也笑着，果然拉入席中。刘老老只叫：『饶了我罢！』鸳鸯道：『再多言的罚一壶。』刘老老方住了。

鸳鸯道：『如今我说骨牌副儿，从老太太起，顺领下去，至刘老老止。比如我说一副儿，将这三张牌拆开，先说头一张，次说第二张，说完了，合成这一副儿的名字。无论诗词歌赋，成语俗话，比上一句，都要合韵。错了的罚一杯。』众人笑道：『这个令好，就说出来。』

鸳鸯道：『有了一副了。左边是张「天」。』贾母道：『头上有青天。』众人道：『好！』鸳鸯道：『当中是个五合六。』贾母道：『六桥梅花香彻骨。』鸳鸯道：『剩了一张六合幺。』贾母道：『一轮红日出云霄。』鸳鸯道：『凑成便是个「蓬头鬼」。』贾母道：『这鬼抱住钟馗腿。』说完，大家笑着喝彩。贾母饮了一杯。

鸳鸯又道：『又有一副了。左边是个「大长五」。』薛姨妈道：『梅花朵朵风前舞。』（这些酒令风雅而不生僻，比现今的猜拳、『虎、杠、虫、鸡』要好一些。）鸳鸯道：『右边是个「大五长」。』薛姨妈道：『十月梅花岭上香。』鸳鸯道：『当中「二五」是杂七。』薛姨妈道：『织女牛郎会七夕。』鸳鸯道：『凑成「二郎游五岳」。』薛姨妈道：『世人不及神仙乐。』（你比神仙还乐！）说完，大家称赏，饮了酒。

鸳鸯又道：『有了一副了。左边「长幺」两点明。』湘云道：『双悬日月照乾坤。』鸳鸯道：『右边「长幺」两点明。』湘云道：『闲花落地听无声。』鸳鸯道：『中间还得「幺四」来。』湘云道：『日边红杏倚云栽。』鸳鸯道：『凑成一个「樱桃九熟」。』湘云道：『御园却被鸟衔出。』说完，饮了一杯。（饮食游戏，玩牌游戏，离不开语言游戏。）

鸳鸯道：『有了一副了。左边是「长三」。』宝钗道：『双双燕子语梁间。』鸳鸯道：『右边是「三长」。』

宝钗道：「水荇牵风翠带长。」鸳鸯道：「三山半落青天外。」鸳鸯道：「凑成『铁锁练孤舟』。」宝钗道：「处处风波处处愁。」说完饮毕。

鸳鸯又道：「左边一个『天』。」黛玉道：「良辰美景奈何天。」宝钗听了，回头看着他，黛玉只顾怕罚，也不理论。鸳鸯道：「中间『锦屏』颜色俏。」黛玉道：「纱窗也没有红娘报。」鸳鸯道：「剩了『二六』八点齐。」黛玉道：「双瞻御座引朝仪。」鸳鸯道：「凑成『篮子』好采花。」黛玉道：「仙杖香挑芍药花。」说完，饮了一口。

鸳鸯道：「左边『四五』成花九。」迎春道：「桃花带雨浓。」众人笑道：「该罚！错了韵，而且又不像。」迎春笑着，饮了一口。

原是凤姐和鸳鸯都要听刘老老的笑话，故意都命说错，都罚了。至王夫人，鸳鸯代说了一个，（连酒令都由秘书『代劳』，何必还亲自活着？）下便该刘老老。刘老老道：「我们庄家闲了，也常会几个人弄这个，可不如这么说的好听。少不得我也试一试。」众人都笑道：「容易说的，你只管说，不相干。」鸳鸯笑道：「左边『大四』是个『人』。」刘老老听了，想了半日，说道：「是个庄家人罢！」众人哄堂笑了。贾母笑道：「说的好，就是这样说。」刘老老也笑道：「我们庄家人不过是现成的本色，众位姑娘姐姐别笑。」鸳鸯道：「中间『三四』绿配红。」刘老老道：「大火烧了毛毛虫。」众人笑道：「这是有的，还说你的本色。」鸳鸯笑道：「右边『幺四』真好看。」刘老老道：「一个萝卜一头蒜。」众人又笑了。鸳鸯笑道：「凑成便是『一枝花』。」刘老老两只手比着说道：「花儿落了结个大倭瓜。」（这种村话的对比十分鲜明、出色。正如薛蟠的名句：『绣房里钻出个大马猴』『一根毛儿往里戳』。别人的『创作』都是过眼烟云，偏偏薛蟠与刘老老的插科打诨式的句子永垂不朽。）众人大笑起来。只听外面乱嚷嚷的，何事，且听下回分解。

享受生活，都『没了治』了。就这么一个小天地，就这么一些人，就这么一些吃喝玩乐的事，连一个刘老老都当珍禽异兽来『猎奇』，不是正说明他们的生活的狭窄可悲么？世界上的许多事物都是双向的，而不是单一的。『红』写了贾母等人拿刘老老取乐，这是站在贾母一边写的。如果站在刘老老一边呢，用刘老老的视角，她这是装疯卖傻，取笑众人，孤胆英雄，独闯『虎穴』，达到了一己的目的，也要弄了这些『一阵风就能吹倒』的太太小姐们。正如评点者在一篇小说中说过的，鲁迅当然极精彩地写出了阿Q，如果请阿Q来写写——不会写便说说评评描描——这些伟大作家们呢。

大观园再次通过老老的眼光呈现出匠心、美景、富贵、空虚与高消费。刘老老带来的不仅是笑料，更是真正的生活气息。

王之涣的名句『欲穷千里目，更上一层楼』，主宰的是不断攀升的愿望，其实呢，『欲真当下目，更下一层楼』是更务实的态度，有几个人需要不断地穷千里目呢？多数人是活在当下，盯着当下的实际与具体。全国人民都在看千里之外的事？不可能。

第四十一回　贾宝玉品茶栊翠庵　刘老老醉卧怡红院

话说刘老老两只手比着说道：「花儿落了结个大倭瓜。」（花落结瓜，何等天趣，胜过那些咬文嚼字。）众人听了，哄堂大笑起来。于是吃过门杯，因又斗趣，笑道：「今儿实说罢，我的手脚子粗，又喝了酒，仔细失手打了这磁杯；有木头的杯取个来，我便失了手，掉了地下，也无碍。』众人听了又笑起来。凤姐儿听如此说，便忙笑道：『果真要木头的，我就取了来，可有一句话先说下：这木头的可比不得磁的，他都是一套，定要吃遍一套方使得。』刘老老听了，心下战敠道：『我方才不过是趣话取笑儿，谁知他果真竟有，我时常在乡绅大家也赴过席，金杯银杯倒都也见过，从没见有木头杯的。哦，是了，想必是小孩子们使的木碗儿，不过诓我多喝两碗；别管他，横竖这酒蜜水儿似的，多喝点子也无妨。』（刘老老要木杯，跟着起哄助兴。要来后，喝与不喝，都是一番耍笑。喝的样醉的样固然丑得可爱复可笑，怕的样躲的样同样解颐。）想毕，便说：『取来再商量。』

凤姐乃命丰儿：『前面里间书架子上，有十个竹根套杯，取来。』丰儿听了，才要去取，鸳鸯笑道：『我知道，你那十个杯还小；况且你才说木头的，这会子又拿了竹根的来，倒不好看。不如把我们那里的黄杨根子整刓的十个大套杯拿来，灌他十下子。』（捎带着把竹根的酒杯也炫耀一番，买一送一。随便一句木头杯云云，也引发起『想当年，阔多啦』的感慨。只知道吹金吹银吹玉吹财宝，不是真阔，连木头也高级到这般田地！）凤姐儿笑道：『更好了。』鸳鸯果命人取来。刘老老一看，又惊又喜：惊的是一连十个挨次大小分下来，那大的足足的似个小盆子，极小的还有手里的杯子两个大；喜的是雕镂奇绝，一色山水树木人物，并有草字以及图印。因忙说道：『拿了那小的来就是了。』凤姐儿笑道：『这个杯，没有这大量的，所以没人敢使他。老老既要，好容易找出来，必定要挨次吃一遍，才使得。』刘老老吓的忙道：『这个不敢。好姑奶奶，饶了我罢。』贾母、薛姨妈、王夫人知道他有年纪的人，禁不起，忙笑道：『说是说，笑是笑，不可多吃了，只吃这头一杯罢。』刘老老道：『阿弥陀佛！我还是小杯吃罢，把这大杯收着，我带了家去，慢慢的吃罢。』说的众人又笑起来。

鸳鸯无法，只得命人满斟了一大杯，刘老老两手捧着喝。贾母、薛姨妈都道：『慢些，不要呛了。』薛姨妈又命凤姐儿布个菜。凤姐笑道：『老老要吃什么，说出名儿来，我夹了喂你。』刘老老道：『我知道什么名儿，样样都是好的。』贾母笑道：『把茄鲞夹些喂他。』（拿了活人当宠物耍。）凤姐儿听说，依言夹些茄鲞，送入刘老老口中，因笑道：『你们天天吃茄子，也尝尝我们这茄子，弄的来可口不可口。』（吹完木头再吹茄子，而不是吹『燕、鲍、翅』，凤姐儿的层次还是比现今的暴发户高。）刘老老笑道：『别哄我了，茄子跑出这个味儿了。我们也不用种粮食，只种茄子了。』众人笑道：『真是茄子，我们再不哄你。』刘老老诧异道：『真是茄子？我白吃了半日。姑奶奶再喂我些，这一口细嚼嚼。』凤姐儿果又夹了些放入他口内。刘老老细嚼了半日，笑道：『虽有一点茄子香，只是还不像是茄子。告诉我是个什么法子弄的，我也弄着吃去。』凤姐儿笑道：『这也不难：你把才下来的茄子，把皮刨了，只要净肉，切成碎钉子，用鸡油炸了，再用鸡肉脯子合香菌、新笋、蘑菇、五香豆腐干子、各色干果子，都切成钉儿，拿鸡汤煨干，将香油一收，外加糟油一拌，盛在磁罐子里，封严；要吃时拿出来，用炒的鸡瓜子一拌，就是了。』（据说有人这样炮制了，并不见佳。毕竟是小说，『说嘴』罢了。应该创建一门新学科：享受学、豪华学、穷奢极欲学。）

刘老老听了，摇头吐舌说：『我的佛祖！倒得十来只鸡来配他，怪道这个味儿！』（佛祖才不管这些。）一面笑，一面慢慢的吃完了酒，还只管细玩那杯子。凤姐儿笑道：『还是不足兴，再吃一杯罢？』刘老老忙道：『了不得，那就醉死了，我因为爱这样儿好看，亏他怎么做来。』鸳鸯笑道：『酒吃完了，到底这杯子是什么木头的？』刘老老笑道：『怨不得姑娘不认得，你们在这金门绣户的，如何认得木头？我们成日家和树林子做街坊，困了枕着他睡，乏了靠着他坐，荒年间饿了还吃他，眼睛里天天见他，耳朵里天天听他，嘴儿里天天说他，所以好歹真假，我是认得的，让我认一认。』（人与木亲。以刘老老夸己与树木之亲反衬贾家用木之稀罕高贵。但刘老老这几句话说得极可爱。）一面说，一面细细端详了半日，道：『你们这样人家，断没有那贱东西；那容易得的木头，你们也不收着了。我掂着这么体沉，断乎不是杨木，一定是黄松做的。』

众人听了，哄堂大笑起来。只见一个婆子走来，请问贾母说：『姑娘们都到了藕香榭，请示下，就演罢，还是再等一回子？』贾母忙笑道：『可是倒忘了他们，就叫他们演罢。』那个婆子答应去了，不一时，只听得箫管悠扬，笙笛并发。正值风清气爽之时，那乐声穿林度水而来，自然使人神怡心旷。（这几句对于乐声的描写，嫌简单和一般了些，但此情此景，仍然使此声也动起人来。）宝玉先禁不住，拿起壶来斟了一杯，一口饮尽，复又斟上，才要饮，只见王夫人也要饮，命人换暖酒，宝玉连忙将自己的杯捧了过来，送到王夫人口边，王夫人便就他手内吃了两口。（娇儿之状可掬。）一时暖酒来了，宝玉仍归旧坐。王夫人提了暖壶下席来，众人都出了席，薛姨妈也站起来，贾母忙命李凤二人接过壶来：『让你姑妈坐了，大家才便。』王夫人见如此说，方将壶递与凤姐儿，自己归坐。贾母笑道：『大家吃上两杯，今日着实有趣。』说着，擎杯让薛姨妈，又向湘云宝钗道：『你姐妹两个也吃一杯。你林妹妹不大会吃，也别饶他。』说着，自己也干了。湘云、宝钗、黛玉也都吃了。

当下刘老老听见这般音乐，且又有了酒，越发喜的手舞足蹈起来。宝玉因下席过来，向黛玉笑道：『你瞧刘老老的样子。』黛玉笑道：『当日圣乐一奏，百兽率舞，如今才一牛耳。』（黛玉的『孤标傲世』，视凡人如牲畜，亦有令人特别是令民粹主义者、社会主义者乃至进步人士相当反感之处。何至于这样说刘老老？故把黛玉的孤傲不群定性为反封建从而对之百般肯定，未必可取。）众姐妹都笑了。须臾乐止，薛姨妈笑道：『大家的酒也都有了，且出去散散再坐罢。』贾母也正要散散，于是大家出席，都随着贾母游玩。贾母因要带着刘老老散闷，遂携了刘老老至山前树下，盘桓了半晌，又说给他这是什么树，这是什么石，这是什么花。刘老老一一领会，又向贾母道：『谁知城里不但人尊贵，连雀儿也是尊贵的。偏这雀儿到了你们这里，他也变俊了，也会说话了。』（领会。）众人不解，因问：『什么雀儿变俊了会说话？』刘老老道：『那廊上金架子上站的绿毛红嘴是鹦哥儿，我是认得的。那笼子里的黑老鸹子，又长出凤头儿来，也会说话呢。』众人听了又都笑将起来。（穷人给富人除了提供劳动，还要提供笑料。如果这拨子小姐到老老庄上，又能识辨多少物件呢？）

一时只见丫头们来请用点心，贾母道：『吃了两杯酒，倒也不饿，（她哪里还记得『饿』的滋味？）也罢，就拿了这里来，大家随便吃些罢。』丫头听说，便去抬了两张几来，又端了两个小捧盒。揭开看时，每个盒内两样。这盒内是两样蒸食：一样是藕粉桂花糖糕，一样是松瓤鹅油卷。那盒内是两样炸的：一样是只有一寸来大的小饺儿。贾母因问：『什么馅子？』婆子们忙回：『是螃蟹的。』贾母听了，皱眉说道：『这会子油腻腻的，谁吃这个！』又看那一样是奶油炸的各色小面果，（已吃奶油点心。）也不喜欢，因让薛姨妈吃，薛姨妈只拣了块糕，贾母拣了一个卷子，只尝了一尝，剩的半个，递与丫头了。（过食必然厌食，过分享乐的结果却是厌生。）

刘老老因见那小面果子都玲珑剔透，各式各样，又拣了一朵牡丹花样的，笑道：『我们乡里最巧的姐儿们，剪子也不能铰出这么个纸的来。我又爱吃，又舍不得吃，包些家去给他们做花样子去倒好。』众人都笑了。贾母笑道：『家去我送你一磁坛子，你先趁热吃这个罢。』（批量赠送，仍然求大于供。）别人不过拣各人爱吃的拣了一两样就算了，刘老老原不曾吃过这些东西，且都做的小巧，不显堆垛的，他和板儿每样吃了些，就去了半盘子。剩的，凤姐又命攒了两盘，并一个攒盒，与文官等吃去。忽见奶子抱了大姐儿来，大家哄他玩了一会，那大姐儿因抱着一个大柚子玩，忽见板儿抱着一个佛手，大姐便要，丫鬟哄他取去，大姐儿等不得，便哭了。（大姐儿与刘老老一家有缘。缘分正如命运，是人们主观想象臆造出来的也罢，玩味起来，令人嗟叹！）众人忙把柚子给了板儿，将板儿的佛手哄过来与他才罢。那板儿因玩了半日佛手，此刻又两手抓着些果子吃，又忽见这个柚子又香又圆，更觉好玩，且当球踢着玩去，也就不要佛手了。（这些细节蕴含着一丝恐怖和威严。）

当下贾母等吃过了茶，又带了刘老老至栊翠庵来。妙玉忙接了进去。众人至院中，见花木繁盛，贾母笑道：『倒底是他们修行人，没事常常修理，比别处越发好看。』一面说，一面便往东禅堂来。妙玉笑往里让，贾母道：『我们才都吃了酒肉，你这里头有菩萨，冲了罪过。我们这里坐坐，把你的好茶拿来，我们吃一杯就去了。』（吃了酒肉，再到『菩萨』这边品茗，占全了！）宝玉留神看他是怎么行事。只见妙玉亲自捧了一个海棠花式雕漆填金『云龙献寿』的小茶盘，里面放一个成窑五彩小盖钟，捧与贾母。贾母道：『我不吃六安茶。』妙玉笑说：『知道。这是「老

君眉」。』贾母接了，又问：『是什么水？』妙玉道：『是旧年蠲的雨水。』贾母便吃了半盏，笑着递与刘老老，说：『你尝尝这个茶。』（贾母对刘老老的态度，比黛玉、妙玉这些孤高人士强多了。此二玉，杀了她们也不会令刘老老与己同饮一杯茶的。）刘老老便一口吃尽，笑道：『好是好，就是淡些，再熬浓些更好了。』贾母众人都笑起来。然后众人都是一色的官窑脱胎填白盖碗。

那妙玉便把宝钗黛玉的衣襟一拉，二人随他出去。宝玉悄悄的随后跟了来。只见妙玉让他二人在耳房内，宝钗便坐在榻上，黛玉便坐在妙玉的蒲团上。（有所区别对待。没有区别便没有政策。佛门妙玉，亦如此『政策』乎？）妙玉自向风炉上煽滚了水，另泡了一壶茶。宝玉便走了进来，笑道：『偏你们吃体己茶呢。』二人都笑道：『你又赶了来撒茶吃，这里并没你吃的。』妙玉刚要去取杯，只见道婆收了上面茶盏来，妙玉忙命：『将那成窑的茶杯别收了，搁在外头去罢。』宝玉会意，知为刘老老吃了，他嫌腌臜，不要了。（妙玉如果生在今天，怎样和大众结合呢？）又见妙玉另拿出两只杯来，一个傍边有一耳，杯上镌着『𤫩瓟斝』三个隶字，后有一行小真字，是『王恺珍玩』，又有『宋元丰五年四月眉山苏轼见于秘府』一行小字。妙玉斟了一斝递与宝钗。那一只形似钵而小，也有三个垂珠篆字，镌着『点犀䀉』。妙玉斟了一䀉与黛玉，仍将前番自己常日吃茶的那只绿玉斗来斟与宝玉。宝玉笑道：『常言「世法平等」，他两个就用那样古玩奇珍，我就是个俗器了？』妙玉道：『这是俗器？不是我说狂话，只怕你家里未必找的出这么一个俗器来呢。』宝玉笑道：『俗话说：「随乡入乡」，到了你这里，自然把这金珠玉宝一概贬为俗器了。』（妙玉语压一头，宝玉以退为进。）

妙玉听如此说，十分欢喜，遂又寻出一只九曲十环一百二十节蟠虬整雕竹根的一个大盏出来，（酒具茶具，都写得天花乱坠。曹公写到这里，不无唬老赶的动机。）笑道：『就剩了这一个，你可吃的了这一海？』宝玉喜的忙道：『吃的了。』妙玉笑道：『你虽吃的了，也没这些茶你遭塌。岂不闻「一杯为品，二杯即是解渴的蠢物，三杯便是饮驴了」。（近于茶道。）你吃这一海，更成什么？』说的宝钗、黛玉、宝玉都笑了。妙玉执壶，只向海内斟了约有一杯，宝玉细细吃了，果觉轻淳无比，赏赞不绝。（现时当书『清纯』，而『轻淳』云云，亦另有韵味。）妙玉正色道：『你这遭吃茶，是托他两个的福，独你来了，我是不能给你吃的。』宝玉笑道：『我深知道，我也不领你的情，只谢他二人便了。』妙玉听了，方说：『这话明白。』黛玉因问：『这也是旧年的雨水？』妙玉冷笑道：『你这么个人，竟是大俗人，连水也尝不出来。（黛玉被说成了『大俗人』，吾人读者有何面目读此回此节？吾甚感自己之俗不欲生矣！）这是五年前我在玄墓蟠香寺住着，收的梅花上的雪，统共得了那一鬼脸青的花瓮一瓮，总舍不得吃，埋在地下，今年夏天才开了。我只吃过一回，这是第二回了。你怎么尝不出来？隔年蠲的雨水，那有这样清淳？如何吃得。』黛玉知他天性怪僻，不好多话，亦不好多坐，吃过茶，便约着宝钗走了出来。（黛玉也没了脾气。也算是山外有山，天外有天。）

宝玉和妙玉陪笑道：『那茶杯虽然腌臜了，白撂了岂不可惜？依我说，不如就给了那贫婆子罢，他卖了也可以度日。你道使得么？』妙玉听了，想了一想，点头说道：『这也罢了。幸而那杯子是我没吃过的，若是我吃过的，我就砸碎了也不能给他。你要给他，我也不管，你只交给他，快拿了去罢。』（妙玉间接地、曲线地向刘老老示好，原因全在中介——宝玉也。）宝玉道：『自然如此，你那里和他说话去？越发连你都腌臜了。只交与我就是了。』妙玉便命人拿来，递与宝玉。宝玉接了，又道：『等我们出去了，我叫几个小么儿来河里打几桶水来洗地如何？』妙玉笑道：『这更好了。只是你嘱咐他们，抬了水，只搁在山门外头墙根下，别进门来。』宝玉道：『这是自然的。』说着，便袖着那杯，递给贾母房中的小丫头子拿着，说：『明日刘老老家去，给他带去罢。』交代明白，贾母已经出来要回去，妙玉亦不甚留，送出山门，回身便将门闭了，不在话下。（这一段集中写了两个人，一个是老老，一个是妙玉，成为鲜明对比，而他人各得其所，各显其能或不能。黛玉对老老如此刻薄，对妙玉只能『不好多话』『不好多坐』，礼让三分，盖黛玉虽然孤高，却当不成姑子。）

（一次吃吃喝喝玩玩乐乐竟写得这样丰满、细致、一层一层、一面一面。对于有心人来说，一颔一啄，都是写不尽的人生。极示大观园之在当时条件下无所不至的享乐快乐。是恋歌也是挽歌，是炫耀也是忏悔。谁不喜欢享受？这几乎可以说是一种乐生的文化，比较起来，缺少欧美人享受生活中的冒险性、刺激性——所以不会有冲浪、划水、滑雪、滑翔之类。享受了又怎样？它能带来什么？自阶级斗争的观点看，这不是巧取豪夺的地主官僚阶级的罪证吗？）

且说贾母因觉身上乏倦，便命王夫人和迎春姊妹陪了薛姨妈去吃酒，自己便往稻香村来歇息。凤姐忙命人将小竹椅抬来，贾母坐上，两个婆子抬起，凤姐李纨和众丫头婆子围随去了，不在话下。这里薛姨妈也就辞出。王夫人打发文官等出去，将攒盒散与众丫头们吃去，自己便也乘空歇着，随便歪在方才贾母坐的榻上，命一个小丫头放下帘子来，又命捶着腿，吩咐他：『老太太那里有信，你就叫我。』说着也歪着睡着了。宝玉湘云等看着丫头们将攒盒搁在山石上，也有坐在山石上的，也有坐在草地下的，也有靠着树的，也有傍着水的，倒也十分热闹。

一时又见鸳鸯来了，要带着刘老老逛，众人也都跟着取笑。

一时来至省亲别墅的牌坊底下，刘老老道：『嗳呀！这里还有大庙呢。』说着，便爬下磕头。众人笑弯了腰。刘老老道：『笑什么？这牌楼上字我都认得。我们那里这样的庙宇最多，都是这样的牌坊，那字就是庙的名字。』众人笑道：『你认得这是什么庙？』刘老老便抬头指那字道：『这不是「玉皇宝殿」四字？』（你有你的语言，我有我的语言。）众人笑的拍手打掌，还要拿他取笑。刘老老觉得腹内一阵乱响，忙的拉着一个丫头，要了两张纸，就解衣。（这么快？不大可能。还是小说要出尽老老洋相。）众人又是笑，又忙喝他：『这里使不得！』忙命一个婆子，带了东北角上去了。（没落的贵族，永远轻视从未发达过的「下人」。）那婆子指与他地方，便乐得走开去歇息。

那刘老老因喝了些酒，他脾气不与黄酒相宜，且吃了许多油腻饮食发渴，多喝了几碗茶，不免通泻起来，蹲了半日方完。及出厕来，酒被风吹，且年迈之人，蹲了半天，忽一起身，只觉眼花头晕，辨不出路径，四顾一望，皆是树木山石，楼台房舍，却不知那一处是往那一路去的了，只得顺着一条石子路，慢慢的走来。及至到了房舍跟前，又找不着门，再找了半日，忽见一带竹篱。刘老老心中自忖道：『这里也有扁豆架子？』（用某种贫穷的生活经验与反映这种生活经验的语言符号系统去套完全不同的生活内容——但愿我们能从刘老老这里汲取教训。）一面想，一面顺着花障走了来，得了一个月洞门，进去，只见迎面一带水池，只有七八尺宽，石头砌岸，里面碧波清水，流往那边去了，上面有一块白石，横架在上面。刘老老便渡过石去，顺着石子甬路走去。转了两个弯子，只见有个房门，于是进了房门，便见迎面一个女孩儿，满面含笑迎出来。刘老老忙笑道：『姑娘们把我丢下了，叫我磞头磞到这里来。』

说了，只觉那女孩儿不答，刘老老便赶来拉他的手，『咕咚』一声，便撞到板壁上，把头磞的生疼。细瞧了一瞧，原来是一幅画儿。刘老老自忖道：『原来画儿有这样凸出来的。』一面想，一面看，一面又用手摸去，却是一色平的，（什么画儿？国画是很难有这种凸现立体的效果的。与其说是画的效果，不如说是酒力使然。）点头叹了两声。一转身，方得了一个小门，门上挂着葱绿撒花软帘。

刘老老掀帘进去，抬头一看，只见四面墙壁，玲珑剔透，琴剑瓶炉，皆贴在墙上；锦笼纱罩，金彩珠光，连地下踩的砖皆是碧绿凿花，竟越发把眼花了，找门出去，那里有门？左一架书，右一架屏。刚从屏后得了一个门，只见一个老婆子也从外面迎了他进来。刘老老诧异，心中恍惚，莫非是他亲家母？（表面是要丑、可笑，其实是隔膜、分离、悲凉。）因连忙问道：『你想是见我这几日没家去，亏你找我来。那位姑娘带你进来的？』又见他戴着满头花，刘老老笑道：『你好没见世面！见这园里的花好，你就没死活戴了一头。』说着，那老婆子只是笑，也不答言。便心中忽然想起：『常听见富贵人家有一种穿衣镜，这别是我在镜子里头吗？』（一个从未照过镜子的人，首次面对镜中的自己，似应更加惊心动魄。）想毕，伸手一抹，再细一看，可不是四面雕空紫檀板壁，将这镜子嵌在中间。因说：『这已经拦住如何走出去呢？』一面说，一面只管用手摸。这镜子原是西洋机括，可以开合，（西洋机括，已经引入贾府。）不意刘老老乱摸之间，其力巧合，便撞开了消息，掩过镜子，露出门来。刘老老又惊又喜，遂走出来，忽见有一副最精致的床帐。他此时又带了七八分的酒，又走乏了，便一屁股坐在床上，（贾府众人，人皆有屁股，唯独形容刘老老是『一屁股坐在床上』，莫非别的贵人们只坐半屁股？即使掉入茅厕，也只配一笑。）只说歇歇，不承望身不由己，便前仰后合的，朦胧着两眼，一歪身，就睡熟在床上。

且说众人等他不见，板儿没了他老老，急的哭了。众人都笑道：『别是掉在茅厕里了？快叫人去瞧瞧。』因命两个婆子去找。回来说：『没有。』众人各处搜寻不见，袭人战敠道：『一定他醉了，迷了路，顺着这一条路往我们后院子里去了。若进了花障子，到后门进去，虽然磞头，还有小丫头子们知道；若不进花障子去，再往西南上去，若绕出去还好，若绕不出去，可够他绕一会子好的。（迷路感，迷路效应，其实贾府的富贵人等应该更惨烈。）我且瞧瞧去。』一面说着，一面回来。进了怡红院，便叫人，谁知那几个在房里的小丫头已偷空玩去了。

袭人一直进了房门，转过集锦槅子，就听的鼾駒如雷，忙进来，只闻见酒屁臭气满屋。一瞧，只见刘老老扎手舞脚的仰卧在床上。（宝玉的床偏让刘老老上一上，大概也算『误区』『错位』『怪圈』吧。人生自多尴尬与讽刺。）袭人这一惊不小，慌忙的赶上来将他没死没活的推醒。那刘老老惊醒，睁眼见袭人，连忙爬起来，道：『姑娘，我该死了！我失错并没弄腌臜了床。』一面说，一面用手去掸。袭人恐惊动了人，被宝玉知道了，只向他摇手，不叫他说话。忙将当地大鼎内贮了三四把百合香，仍用罩子罩上。所喜不曾呕吐。忙悄悄的笑道：『不相干，有我呢。你随我出来。』刘老老答应着，跟了袭人，出至小丫头子们房中，命他坐下，向他道：『你说醉倒在山子石上，打了个盹儿。』（袭人处理问题自有好处，如果换成了晴雯，会不会闹个天翻地覆？）刘老老答应：『是。』又与他两碗茶吃，方觉酒醒了。因问道：『这是那个小姐的绣房？这样精致。我就像到了天宫里的一样。』袭人微微笑道：『这个么，是宝二爷的卧室。』那刘老老吓的不敢做声。袭人带他从前面出去，见了众人，只说：『他在草地下睡着了，带了他来的。』众人都不理会，也就罢了。

一时贾母醒了，就在稻香村摆晚饭。贾母因觉懒懒的，（懒懒的，是狂欢后的状态。享受取乐，发懒，再取乐，再更懒，这也是规律。）也没吃饭，便坐了竹椅小敞轿，回至房中歇息，命凤姐儿等去吃饭。他姊妹方复进园来。未知如何，且看下回分解。

所以能这样写得热闹有趣，离不开两个『不和谐』人物。一个是刘老老，少见多怪，洋相百出，而又福从天降，殊荣殊宠，以她的兴奋、开眼、拜倒感染着牵引着读者。随刘老老进了园子，谁不是刘老老？谁不感叹自己刘老老般哪里懂这些好生活？一个是妙玉，又得接待贾母，又得优待钗黛，又得冷冷热热地（不知怎么好地）接待宝玉，又得撇着嘴冷笑讥刺一切人和事，尤其敌视刘老老。这才有了戏。不和谐因素是组织情节的宝贝。刘老老乐得太过，便出了差错。幸亏袭人代为遮掩，大事化小化无。否则就要乐极生悲了。

如入迷宫，如中机关，两个世界，两个阶级，就是这样地相隔着。《红楼梦》的作者，当年是宝玉一类人物，如果是板儿一类人物呢？『红』将有怎样的不同面貌！

第四十二回　蘅芜君兰言解疑癖　潇湘子雅谑补余音

话说他姊妹复进园来，吃过饭，大家散出，都无别话。

且说刘老老带着板儿，（『话说』完了又『且说』，无伤，倒足见出口语化与真实性。）先来见凤姐儿，说：『明日一早定要家去了。虽然住了两三天，日子却不多，把古往今来没见过的，没吃过的，没听见的，都经验了。难得老太太和姑奶奶并那些小姐们，连各房里的姑娘们，都这样怜贫惜老，照看我。我这一回去，没别的报答，惟有请些高香，天天给你们念佛，保佑你们长命百岁的，就算我的心了。』凤姐儿笑道：『你别喜欢，都是为你，老太太也被风吹病了，睡着不舒服；我们大姐儿也着了凉，在那里发热呢。』（快乐的代价。）刘老老听了，忙叹道：『老太太有年纪的，不惯十分劳乏的。』凤姐儿道：『从来没像昨儿高兴。往常也进园子逛去，不过到一两处坐坐就来了。昨儿因为你在这里，要叫都逛逛，一个园子倒走了多半个。大姐儿因为我找你去，太太递了一块糕给他，谁知风地里吃了，就发起热来。』（这种对于病因的分析，不知反映的是知识的贫乏还是逻辑的贫乏。）刘老老道：『大姐儿只怕不大进园子。生地方儿，小人儿家，原不该去，比不得我们的孩子，会走了，那个坟圈子里不跑去。一则风扑了也是有的；二则只怕他身上干净，眼睛又净，或是遇见什么神了。依我说，给他瞧瞧祟书本子，仔细撞客着。』（再度表现老老与『大姐儿』的关系。）

一语提醒了凤姐儿，便叫平儿拿出《玉匣记》来，着彩明来念。彩明翻了一回，念道：『八月二十五日病者，东南方得遇花神。用五色纸钱四十张，向东南方四十步送之大吉。』凤姐儿笑道：『果然不错，园子里头可不是花神！只怕老太太也是遇见了。』一面命人请两分纸钱来，着两个人来，一个与贾母送祟，一个与大姐儿送祟。（『送祟』二字，有诸多预兆，诸多无奈。）果见大姐儿安稳睡了。

凤姐儿笑道：『到底是你们有年纪的经历的多。我们大姐儿时常肯病，也不知是什么原故。』刘老老道：『这也有的。富贵人家养的孩子都娇嫩，自然禁不得一些儿委屈。再他小人儿家，过于尊贵了，也禁不起。以后姑奶

奶倒少疼他些就好了。』（这种民间的说法，包着迷信的外衣，仍有一定的道理。小孩子不宜过于娇惯，这是对的。）凤姐儿道：『这也有理。我想起来，他还没个名字，你就给他起个名字，借借你的寿；二则你们是庄家人，不怕你恼，到底贫苦些，你贫苦人起个名字，只怕压的住他。』（贫苦人起名压得住：迷信乎？经验乎？哲学乎？）刘老老听说，便想了一想，笑道：『不知他是几时生的？』凤姐儿道：『正是生的日子不好呢，可巧是七月初七日。』刘老老忙笑道：『这个正好，就叫做巧姐儿好。这个叫做「以毒攻毒，以火攻火」的法子。姑奶奶定依我这名字，必然长命百岁。日后大了，各人成家立业，或一时有不遂心的事，必然遇难成祥，逢凶化吉，都从这「巧」字儿来。』（又是预言预示。迷信宿命的观念变成了小说结构的方法。一切都从『巧』字来。）

凤姐儿听了，自是欢喜，忙谢道：『只保佑他应了你的话就好了。』（凤姐对于女儿的命运似亦有不祥的预感。）说着，叫平儿来吩咐道：『明儿咱们有事，恐怕不得闲儿；你这空儿闲着，把送老老的东西打点了，他明儿一早就好走得便宜了。』刘老老道：『不敢多破费了。已经遭扰了几日，又拿着走，越发心里不安起来。』凤姐儿道：『也没有什么，不过随常的东西。好也罢，歹也罢，带了去，你们街坊邻舍看着也热闹些，也是上城一次。』（善有善报。写凤姐对刘老老如何『行善』，包含这个朴素的意思。）

说着只见平儿走来说：『老老过这边瞧瞧。』刘老老忙跟了平儿到那边屋里，只见堆着半炕东西。平儿一一的拿与他瞧着，又说道：『这是昨日你要的青纱一匹，奶奶另外送你一个实地月白纱做里子。这是两个茧绸，做袄儿裙子都好。这包袱里是两匹绸子，年下做件衣裳穿。这是一盒各样内造点心，也有你吃过的，也有没吃过的，

拿去摆碟子请客，比你们买的强些。这两条口袋是你昨日装瓜果子的，如今这一个里头装了两斗御田粳米，熬粥是难得的；（果然离不开粥。）这一条里是园子里的果子和各样干果子。这一包是八两银子。这都是我们奶奶的。这两包每包五十两，共是一百两，是太太给的，叫你拿去，或者做个小本买卖，或者置几亩地，以后再别求亲靠友的。』说着又悄悄笑道：『这两件袄儿和两条裙子，还有四块包头，一包绒线，可是我送老老的。那衣裳虽是旧的，我也没大很穿，你要弃嫌，我就不敢说了。』

平儿说一样，刘老老就念一句佛，已经念了几千佛了；又见平儿也送他这些东西，又如此谦逊，忙笑说道：『姑娘说那里话？这样好东西，我还弃嫌！我便有银子，没处买这样的去呢。只是我怪臊的，收了又不好；不收又辜负了姑娘的心。』（刘老老福从天降，令读者随着领情、雀跃、羡慕。这也投合读者的心理：谁不梦想着幸运呢？狄更斯小说里的人物就常有某种幸运，例如一个乞儿突然成了贵族的继承人。『红』当然是中国式的，不敢那样奢望。）平儿笑道：『休说外话，咱们都是自己，我才这样。你放心收了罢，我还和你要东西呢。到年下，你只把你们晒的那个灰条菜干子和豇豆、扁豆、茄子、葫芦条儿，各样干菜带些来，我们这里上上下下都爱吃，这个就算了，别的一概不要，别罔费了心。』刘老老千恩万谢的答应了。平儿道：『你只管睡你的去，我替你收拾妥当了，就放在这里，明儿一早打发小厮们雇辆车装上，不用你费一点心的。』刘老老越发感激不尽，过来又千恩万谢的辞了凤姐儿，过贾母这边睡了一夜。次早梳洗了，就要告辞。因贾母欠安，众人都过来请安，出去传请大夫。一时婆子回：『大夫来了。』老嬷嬷请贾母进幔子去坐，贾母道：『我也老了，那里养不出那阿物儿来？还怕他不成！不用放幔子，就这样瞧罢。』（贾

母确实算得个『想得开』的人。）众婆子听了，便拿过一张小桌子来，放下一个小枕头，便命人请。

一时只见贾珍、贾琏、贾蓉三个人将王太医领来。王太医不敢走甬路，只走旁阶，跟着贾珍到了台阶上，早有两个婆子在两边打起帘子，两个婆子在前引导进去，又见宝玉迎了出来。只见贾母穿着青绉绸一斗珠的羊皮褂子，端坐在榻上；两边四个未留头的小丫鬟，都拿着蝇刷漱盂等物；又有五六个老嬷嬷雁翅摆在两边，碧纱橱后，隐隐约约有许多穿红着绿、戴宝插金的人。王太医便不敢抬头，忙上来请了安。贾母见他穿着六品服色，便知是御医了，含笑问：『供奉好？』因问贾珍：『这位供奉贵姓？』贾珍等忙回：『姓王。』贾母笑道：『当日太医院正堂有个王君效，好脉息。』王太医忙躬身低头含笑，因说：『那是晚生家叔祖。』贾母听了笑道：『原来这样，也算是世交了。』一面说，一面慢慢的伸手放在小枕头上。（从与老老一起在园内要到生病看病，有时间的顺序，但并无情理的必然，《红楼梦》的叙事线索若隐若现。）嬷嬷端着一张小杌子，放在小桌前面，略偏些。王太医便屈一膝坐下，歪着头诊了半日，又诊了那只手，忙欠身低头退出。（应对举止阵式，都写得极像那么回事。）贾母笑说：『劳动了。珍儿让出去，好生看茶。』

贾珍、贾琏等忙答应了几个『是』，复领王太医到外书房中。王太医说：『太夫人并无别症，偶感一点风寒，究竟不用吃药，不过略清淡些，常暖着一点儿，就好了。如今写个方子在这里，若老人家爱吃，便按方煎一剂吃；若懒怠吃，也就罢了。』（既无大病，便宜说得从容随意些。不要因为人家找你看病就卖弄起来。）说着，吃茶，写了方子。刚要告辞，只见奶子抱了大姐儿出来，笑说：『王老爷也瞧瞧我们姐儿。』王太医听说，忙起身就奶子怀中，左

手托着大姐儿的手，右手诊了一诊，又摸了一摸头，又叫伸出舌头来瞧瞧，笑道：『我说着姐儿又骂我了，只是要清清净净的饿两顿就好了。（尤为至理名言。『红』对儿科学亦有贡献焉。评点者有言：人类历来面临两类问题，饿出来的与撑出来的。）不必吃煎药，我送点丸药来，临睡时用姜汤研开吃下去就是了。』说毕，告辞而去。贾珍等拿了药方来回明贾母原故，将药方放在案上出去，不在话下。这里王夫人和李纨、凤姐儿、宝钗姐妹等，见大夫出去，方从橱后出来。王夫人略坐一坐，也回房去了。（这种交代似无多大意思，只是更像一切实有其事。）

刘老老见无事，方上来和贾母告辞。贾母说：『闲了再来。』又命鸳鸯来：『好生打发刘老老出去。我身上不好，不能送你。』刘老老道了谢，又作辞，方同鸳鸯出来。（在在细节，处处真实，事事具体，笔笔不漏。）到了下房，鸳鸯指炕上一个包袱说道：『这是老太太的几件衣裳，都是往年间生日节下众人孝敬的。老太太从不穿人家做的，收着也可惜，却是一次也没穿过的，昨日叫我拿出两套儿送你带去，或送人，或自己家里穿罢。别见笑，这盒子里是你要的面果子。这包儿里是你前儿说的药，梅花点舌丹也有，紫金锭也有，活络丹也有，催生保命丹也有：每一样是一张方子包着，总包在里头了。（以药品作礼物馈赠，不知是不是中国文化的独有。）这是两个荷包，带着玩罢。』说着，便抽开系子，掏出两个『笔锭如意』的锞子来与他瞧，又笑道：『荷包拿去，这个留下给我罢。』

刘老老已喜出望外，早又念了几千佛，听鸳鸯如此说，便说道：『姑娘只管留下罢了。』鸳鸯见他信以为真，笑着仍与他装上，说道：『哄你玩呢，我有好些呢。留着年下给小孩子们罢。』说着，只见一个小丫头拿着个成窑钟子来，递给刘老老，说：『这是宝二爷给你的。』刘老老道：『这是那里说起？我那一世修来的，今儿

这样。』（哪一世修来？修成了神、佛、菩萨？最后帮助了败落后的贾家人丁。天将降大任于斯人也。或曰：吉人自有天相。刘老老者，吉人也。）说着便接了过来。鸳鸯道：『前儿我叫你洗澡，换的衣裳是我的，你不弃嫌，我还有几件也送你罢。』刘老老又忙道谢。鸳鸯果然又拿出几件来，给他包好。刘老老又要到园中辞谢宝玉和众姊妹王夫人等去，鸳鸯道：『不用去了。他们这会子也不见人，回来我替你说罢。闲了再来。』又命了一个老婆子，吩咐他：『二门上叫两个小厮来，帮着老老拿了东西送去。』婆子答应了。又和刘老老到了凤姐儿那边，一并拿了东西，在角门上命小厮们搬了出去，直送刘老老上车去了，不在话下。（曹雪芹未必懂得或赞成『卑贱者最聪明』的毛泽东名言，但他安排的这个最穷最没文化最与环境不协调的人确实很聪明，而且有福气，福大命大——例如比极端轻视她的妙玉黛玉命大多了。不知这是否透露一点雪芹的民本主义、民粹主义观念萌芽。）

且说宝钗等吃过早饭，又往贾母处问安，回园至分路之处，宝钗便叫黛玉道：『颦儿，跟我来，有一句话问你。』黛玉便同了宝钗来至蘅芜院中，进了房，宝钗便坐了，笑道：『你跪下，我要审你。』黛玉不解何故，因笑道：『你瞧，宝丫头疯了！审问我什么？』宝钗冷笑道：『好个千金小姐！好个不出闺门的女孩儿！满嘴里说的是什么？你只实说便罢。』黛玉不解，只管发笑，心里也不免疑惑起来，口里只说：『我何曾说什么？你不过要捏我的错儿罢了。你倒说出来我听听。』宝钗笑道：『你还装憨儿。昨儿行酒令，你说的是什么？我竟不知是那里来的。』（正因为宝钗知道那两句是哪里来的，这会儿才说是『不知是那里来的』。）黛玉一想，方想起来昨儿失于检点，那《牡丹亭》《西厢记》说了两句，不觉红了脸，便上来搂着宝钗笑道：『好姐姐，原是我不知道，随口说的。你教给我，再不说了。』宝

钗笑道：『我也不知道，听你说的怪生的，所以请教你。』（这近乎一种有原则的关心，与人为善的批评教育，为了你而与你斗争。诚乎？伪乎？反正宝钗已经胜了一筹。）黛玉道：『好姐姐，你别说与别人，我以后再不说了。』

宝钗见他羞的满脸飞红，满口央告，便不肯再往下追问，因拉他坐下吃茶，款款的告诉他道：『你当我是谁？我也是个淘气的，从小儿七八岁上，也够个人缠的。我们家也算是个读书人家，祖父手里也极爱藏书。先时人口多，姊妹弟兄也在一处，都怕看正经书。弟兄们也有爱诗的，也有爱词的，诸如这些《西厢记》《琵琶》以及《元人百种》，无所不有。（禁书自来有。禁书的魅力自来有。禁得自欺欺人自来有。反正还是要禁自来有。终于自律自禁自来有。）他们背着我们偷看，我们也背着他们偷看。后来大人知道了，打的打，骂的骂，烧的烧，丢开了。所以咱们女孩儿家不认字的倒好。男人们读书不明理，尚且不如不读书的好，何况你我？（读书而不明理，不如不读，其实是至理名言！但要看谁来衡量。）连做诗写字等事，这也不是你我分内之事，究竟也不是男人分内之事。男人们读书明理，辅国治民，这更好了，只是如今并听不见有这样的人，读了书，倒更坏了。这并不是书误了他，可惜他把书遭塌了，所以竟不如耕种买卖，倒没有什么大害处。（『读书有害——至少是无用论』，『红』已有之。耕种买卖无大害，讲得好！可以想见四方皆害的被害包围情状。）至于你我，只该做些针线纺绩的事才是，偏又认得几个字，既认得了字，不过拣那正经书看也罢了，最怕见些杂书，移了性情，就不可救了。』（读杂书而不可救，险矣哉，吓死人了。）一夕话，说的黛玉垂头吃茶，心下暗服，只有答应『是』的一字。忽见素云进来说：『我们奶奶请二位姑娘商议要紧的事呢。二姑娘、三姑娘、四姑娘、史姑娘、宝二爷，都等着呢。』（生活故事，难免分岔，而这是会影响可读性的。真实性与可读性，小说家要掌握这一平衡。）宝钗道：『又是什么事？』黛玉道：『咱们到了那里就知道了。』说着，便和宝钗往稻香村来，果见众人都在那里。

宝钗的这一番谈话，在彼时彼景，只能说是好意，严肃亲切，现身说法，利己利人。宝钗也是过来人，她说自己原也是淘气的……更有说服力。不必大惊小怪。更不必生活里比宝钗世故圆滑庸俗得多，而又大骂宝钗的『封建』。正如不必一面做着扼杀性灵的事一面大捧黛玉的『叛逆』。

李纨见了他两个，笑道：『社还没起，就有脱滑儿的了，四丫头要告一年的假呢。』黛玉笑道：『都是老太太昨儿一句话，又叫他画什么园子图儿，惹得他乐得告假了。』探春笑道：『也别怪老太太，都是刘老老一句话。』黛玉忙笑接道：『可是呢，都是他的一句话。他是那一门子的老老？直叫他是个「母蝗虫」就是了。』（黛玉何苦对贾母、凤姐都不讨厌的刘老老如此『促狭』？似亦有伏笔在焉。）说着，大家都笑起来。宝钗笑道：『世上的话，到了凤丫头嘴里也就尽了。幸而凤丫头不认得字，不大通，不过一概是市俗取笑。更有颦儿这促狭嘴，他用《春秋》的法子，把市俗的粗话，撮其要，删其繁，再加润色，比方出来，一句是一句。这「母蝗虫」三字，把昨儿那些形景都现出来了。亏他想的倒也快。』众人听了，都笑道：『你这一注解，也就不在他两个以下了。』

李纨道：『我请你们大家商议，给他多少日子的假？我给了他一个月的假，他嫌少，你们怎么说？』黛玉道：『论理，一年也不多，这园子盖才盖了一年，如今要画，自然得二年的工夫呢。又要研墨，又要蘸笔，又要铺纸，又要着颜色，又要……』刚说到这里，黛玉也自掌不住，笑道：『又要照着这样儿慢慢的画，可不得二年的工夫？』（黛玉这样耍贫嘴，不多见，说明她已与环境融合，却未面对生死攸关的爱情。）众人听了，都拍手笑个不住。宝钗笑道：『有趣！最妙落后一句是「慢慢的画」。他可不画去，怎么就有了呢？所以昨儿那些笑话儿虽然可笑，回想是没味的。你们细想，颦儿这几句话，虽没什么，回想却有滋味。我倒笑的动不得了。』惜春道：『都是宝姐姐赞的他越发逞强，这会子又拿我取笑儿。』黛玉忙拉他笑道：『我且问你，还是单画这园子呢，还是连我们众人都画在上头呢？』惜春道：『原是只画这园子的。昨儿老太太又说：「单画园子，成个房样子了。」叫连人都画上，就像行乐似的才好。（老太太对绘画的指导言之成理，可见艺术不能至上。）我又不会这工细楼台，又不会画人物，又不好驳回，正为这个为难呢。』黛玉道：『人物还容易，你草虫上不能。』李纨道：『你又说不通的话了。这个上头那里又用的着草虫？或者翎毛倒要点缀一两样。』黛玉笑道：『别的草虫不画罢了，昨儿的「母蝗虫」不画上，岂不缺了典！』（一而再，再而三，不依不饶，穷追猛打。）众人听了，又都笑起来。黛玉一面笑的两手捧着胸口，一面说道：『你快画罢，我连题跋都有了，起了名字，就叫做「携蝗大嚼图」。』

众人听了，越发哄然大笑的前仰后合。（嘲笑与挖苦比自己活得艰难的人，竟如此使小姐们开心。）只听『咕咚』一声响，不知什么倒了，急忙看，原来是湘云伏在椅子背儿上，那椅子原不曾放稳，被他全身伏着背子大笑，他又不防，两下里错了笋，向东一歪，连人带椅子都歪倒了。幸有板壁挡住，不曾落地。众人一见，越发笑个不住。宝玉忙赶上去扶住了起来，方渐渐止了笑。宝玉和黛玉使个眼色儿，黛玉会意，便走至里间，将镜袱揭起，照了照，只见两鬓略松了些，（宝玉的体贴，有失男子气。）忙开了李纨的妆奁，拿出抿子来，对镜抿了两抿，仍旧收拾好了，

方出来指着李纨道：『这是叫你带着我们做针线、教道理呢，你反招了我们来大玩大笑的。』李纨笑道：『你们听他这刁话。他领着头儿闹，引着人笑了，倒赖我的不是。真真恨的我只保佑你明儿得一个利害婆婆，再得几个千刁万恶的大姑子、小姑子，试试你那会子还这么刁不刁了。』（虽是玩笑，却是要害。）

黛玉早红了脸，拉着宝钗说：『咱们放他一年的假罢。』宝钗道：『我有一句公道话，你们听听。藕丫头虽会画，不过是几笔写意；如今画这园子，非离了肚子里头有些丘壑的，如何成画？这园子却是像画儿一般，山石树木，楼阁房屋，远近疏密，也不多，也不少，恰恰的是这样。你若照样儿往纸上一画，是必不能讨好的。这要看纸的地步远近，该多该少，分主分宾，该添的要添，该藏该减的要藏要减，该露的要露。这一起了稿子，再端详斟酌，方成一幅图样。第二件，这些楼台房舍，是必要界划的。一点儿不留神，栏杆也歪了，柱子也塌了，门窗也倒竖过来，阶砌也离了缝，甚至桌子挤到墙里头去，花盆放在帘子上来，岂不倒成了一张笑话儿了。第三，要安插人物，也要有疏密，有高低。衣褶裙带，指手足步，最是要紧；一笔不细，不是肿了手，就是瘸了脚，染脸撕发，倒是小事。（薛宝钗的画论，当即是曹公画论。真真百科全书也。）依我看来，竟难的很。如今一年的假也太多，一月的假也太少，竟给他半年的假；再派了宝兄弟帮着他。并不是为宝兄弟知道教着他画，——那就更误了事；为的是有不知道的，或难安插的，宝兄弟好拿出去问问那会画的相公们，就容易了。』（薛氏画论，大致也是忠于现实，高于现实。）

宝玉听了，先喜的说：『这话极是。詹子亮的工细楼台就极好，程日兴的美人是绝技，如今就问他们去。』

宝钗道：『我说你是「无事忙」，说了一声，你就问他去，也等着商议定了再去。如今且说拿什么画？』宝玉道：『家里有雪浪纸，又大，又托墨。』宝钗冷笑道：『我说你不中用！那雪浪纸，写字，画写意画儿，或是会山水的画南宋山水，托墨，禁得皴染；拿了画这个，又不托色，又难烘，画也不好，纸也可惜。我教给你一个法子：原先盖这园子就有一张细致图样，虽是画工描的，那地步方向是不错的。你和太太要了出来，也比着那纸大小，和凤丫头要一块重绢，交给外边相公们，叫他照着这图样删补着立了稿子，添了人物，就是了。（宝钗的务实，表现在方方面面。）就是配着些青绿颜色，并泥金泥银，也得他们配去。你们也得另拢上风炉子，预备化胶、出胶、洗笔。还得一个粉油大案，铺上毡子。你们那些碟子也不全，笔也不全，都从新再弄一分儿才好。』（工艺方面、技术安排方面也是面面俱到。）

惜春道：『我何曾有这些画器？不过随手的笔画画罢了。就是颜色，只有赭石、广花、藤黄、胭脂这四样。再有不过是两支着色的笔就完了。』（画器与颜色。）宝钗道：『你何不早说？这些东西我却还有，只是你用不着，给你也白放着。如今我且替你收着，等你用着这个的时候我送你些。也只可留着画扇子，若画这大幅的，也就可惜了。今儿替你开个单子，照着单子和老太太要去。你们也未必知道的全，我说着，宝兄弟写。』宝玉早已预备下笔砚了，原怕记不清白，要写了记着，听宝钗如此说，喜的提笔起来静听。宝钗说道：『头号排笔四支，二号排笔四支，三号排笔四支，大染四支，中染四支，小染四支，大南蟹爪十支，小蟹爪十支，须眉十支，大着色二十支，小着色二十支，开面十支，柳条二十支，箭头朱四两，南赭四两，石黄四两，石青四两，石绿四两，管黄四两，广花八两，铅粉四匣，胭脂十帖，大赤飞金二百帖，青金二百帖，广匀胶四两，净矾四两，矾绢的胶矾在外，别管他们，只把绢交出去，叫他们矾去。（这种『数字化』、清单化的描写，也可纳入长篇小说，目的是使小说更不像小说而像百科全书。《三国演义》中的『木牛流马』制作数据也是这个意思。）这些颜色，咱们淘澄飞跌着，又玩了，又使了，包你一辈子都够使了。再要顶细绢箩四个，粗箩二个，担笔四支，大小乳钵四个，大粗碗二十个，五寸碟子十个，三寸粗白碟子二十个，风炉两个，沙锅大小四个，新磁缸二口，新水桶四只，一尺长白布口袋四个，浮炭二十斤，柳木炭一二斤，三屉木箱一个，实地纱一丈，生姜二两，酱半斤。』（薛宝钗何等内行！其实是曹公何等内行！明细如此，更显逼真。）黛玉忙笑道：『铁锅一口，铁铲一个。』

居然把画器清单也写入了小说。与药方、烹调程序一样，成为一个鸿篇巨制的小说的组成部分。这种做法增添了『红』的知识性和真切性。清单、药方都不是艺术，问题是，长篇小说这种艺术形式不可能纯而又纯，试想，一部一百余万字的长篇，如果篇篇抒情，页页绘景，反而令人疲劳而难以卒读。此亦文无定法一例。

宝钗道：『这做什么？』黛玉道：『你要生姜和酱这些作料，我替你要铁锅来，好炒颜色吃啊。』众人都笑起来。宝钗笑道：『颦儿，你知道什么！那粗磁碟子保不住不上火烤，不拿姜汁子和酱预先抹在底子上烤过，一经了火，是要炸的。』（细及于此，近乎炫耀。）众人听说，都道：『原来如此。』黛玉又看了一回单子，笑着拉探春，悄悄的道：『你瞧瞧，画个画儿，又要起这些水缸箱子来，想必糊涂了，把他的嫁妆单子也写上了。』探春听了，笑个不住，说道：『宝姐姐，你还不拧他的嘴？你问问他编派你的话。』宝钗笑道：『不用问，「狗嘴里还有象牙不成」！』

一面说，一面走上来，把黛玉按在炕上，便要拧他的脸。黛玉笑着，忙央告道：『好姐姐，饶了我罢！颦儿年纪小，只知说，不知道轻重，做姐姐的教导我。姐姐不饶我，我还求谁去呢？』（话里有话，倒也巧。）众人不知话内有因，都笑道：『说的好可怜见儿的，连我们也软了，饶了他罢。』

宝钗原是和他玩的，忽听他又拉扯上前番说他胡看杂书的话，便不好再和他闹了，放起他来。黛玉笑道：『到底是姐姐，要是我，再不饶人的。』宝钗笑指他道：『怪不得老太太疼你，众人爱你，今儿我也怪疼你的了。过来，我替你把头发笼笼罢。』（不能只看到她们性格旨趣不同与成为『情敌』的一面，而看不到她们确实也有过友好亲切的交流与相处。）黛玉果然转过身来，宝钗用手笼上去，宝玉在旁看着，只觉更好，不觉后悔：『不该令他抿上鬓去，也该留着，此时叫他替他抿上去。』（宝玉的『胡想』天真无赖。）正自胡想，只见宝钗说道：『写完了，明儿回老太太去。若家里有的就罢；若没有的，就拿些钱去买了来，我帮着你们配。』宝玉忙收了单子。

大家又说了一回闲话。至晚饭后，又往贾母处来请安。贾母原没有大病，不过是劳乏了，兼着了些凉，温存了一日，又吃了一两剂药，发散了发散，至晚也就好了。（病了，没什么，又好了，这种描写如果不是《红楼梦》中，纯属废话。）不知次日又有何话，下回分解。

宝钗以体己、代为掩护的态度与符合主流的观念令黛玉折服，宝钗行事，中正和平，无懈可击。黛玉感激，自然而然，不能不感激。

贾母倡议并主持作画记乐，惜春执行，众人也都有好意见参与，有点领导、群众、专家三结合的意思。

第四十三回　闲取乐偶攒金庆寿　不了情暂撮土为香

话说王夫人因见贾母那日在大观园不过着了些风寒，不是什么大病，请医生吃了两剂药也就好了，命凤姐来，吩咐他预备给贾政带送东西。正商议着，只见贾母打发人来叫，王夫人忙引着凤姐儿过来。王夫人又请问：『这会子可又觉大安些？』贾母道：『今日可大好了。方才你们送来野鸡崽子汤，我尝了一尝，倒有味儿，又吃了两块肉，心里很受用。』（日常生活的情调，也是小说的非小说化写法。）王夫人笑道：『这是凤丫头孝敬老太太的，算他的孝心虔，不枉了素日老太太疼他。』（王夫人不忘为自己的内侄女儿美言。）贾母点头笑道：『难为他想着。若是还有生的，再炸上两块，咸浸浸的，喝粥有味儿。（又是吃粥。）那汤虽好，就只不对稀饭。』凤姐听了，连忙答应，命人去厨房传话。

这里贾母又向王夫人笑道：『我打发人找你来，不为别的。初二日是凤丫头的生日，上两年我原早想着替他做生日，偏到跟前又有大事，就混过去了。今年人又齐全，料着又没事，咱们大家好生乐一日。』（贾母出面，何等不凡。一方面，固然是『大家好生乐一日』，锦上添花，花上着锦。另一方面，反映了对于王夫人——王熙凤的二王权力运作机制的支持和肯定。这也有拉上大家支持效忠王王体制的意思。）王夫人笑道：『我也想着呢。既是老太太高兴，何不就商议定了？』贾母笑道：『想我往年不拘谁做生日，都是各自送各自的礼，这个也俗了，也觉太生分似的。今儿我出个新法子，又不生分，又可取乐。』王夫人忙道：『老太太怎么想着好，就是怎么样行。』贾母笑道：『我想着，咱们也学那小家子，大家凑分子，多少尽着这钱去办。你道好不好？』王夫人道：『这个很好，但不知怎么凑法？』

贾母听说，一发高兴起来，忙遣人去请薛姨妈邢夫人等，又叫请姑娘们并宝玉，那府里贾珍的媳妇并赖大家的，及有些头脸管事的媳妇也都叫了来。众丫头婆子见贾母十分高兴，也都高兴，忙忙的各自分头去请的请，传的传。没顿饭的工夫，老的、少的、上的、下的，乌压压挤了一屋子。只薛姨妈和贾母对坐，邢夫人王夫人只坐在房门前两张椅子上，宝钗姊妹等五六个人坐在炕上，宝玉坐在贾母怀前，底下满满的站了一地。贾母忙命拿几张小杌子来，给赖大母亲等几个高年有体面的嬷嬷坐了。贾府风俗：年高伏侍过父母的家人，比年轻的主子还有体面，（此亦笼络人心一法。）所以尤氏凤姐儿等只管地下站着，那赖大的母亲等三四个老嬷嬷告了罪，都坐在小杌子上了。

贾母笑着把方才一夕话说与众人听了。众人谁不凑这趣儿；再也有和凤姐儿好，有情愿这样的；也有畏惧凤姐儿，巴不得奉承的：（情愿也是情愿，畏惧也是情愿，『自愿』云云，原是靠不住的。）况且都是拿得出来的，所以一闻此言，都欣然应诺。贾母先道：『我出二十两。』薛姨妈笑道：『我随着老太太，也是二十两。』邢夫人王夫人笑道：『我们不敢和老太太并肩，自然矮一等，每人十六两罢了。』尤氏李纨也笑道：『我们自然又矮一等，每人十二两罢。』（贾府的财政，人人事事都有分例，略尽计划经济，同时保留了个人自发活动的空间、小自由的空间。）贾母忙和李纨道：『你寡妇失业的，那里还拉你出这个钱，我替你出了罢。』凤姐忙笑道：『老太太别高兴，且算一算账再揽事。

老太太身上已有两分呢，这会子又替大嫂子出十六两，说着高兴，一会子回想又心疼了。过后儿又说：「都是为凤丫头花了钱。」使个巧法子，哄着我拿出三四倍子来暗里补上，我还做梦呢。』说的众人都笑了。贾母笑道：『依你怎么样呢？』凤姐笑道：『生日没到，我这会子已经折受的不受用了。我一个钱也不出，惊动这些人，实在不安，不如大嫂子这分我替他出了罢。我到那一日多吃些东西，就享了福了。』（诸事都要妥帖合理。）邢夫人等听了，都说：『很是。』贾母方允了。

凤姐儿又笑道：『我还有一句话呢，我想老祖宗自己二十两，又有林妹妹宝兄弟的两分子；姨妈自己二十两，又有宝妹妹的一分子：这倒也公道。只是二位太太每位十六两，自己又少，又不替人出，这有些不公道。老祖宗吃了亏了。』（讨好巴结，也要心细如发，算计周全，起码表面上合情合理合法合算。）贾母听了，呵呵大笑道：『到底是我的凤丫头向着我，这说的很是。要不是你，我叫他们又哄了去了。』凤姐笑道：『老祖宗只把他哥儿两个交给两位太太，一位占一个罢，派每位替出一分就是了。』贾母忙说：『这很公道，就是这样。』赖大的母亲忙站起来笑道：『这可反了！我替二位太太生气。在那边是儿子媳妇，在这边是内侄女儿，倒不向着婆婆姑姑，倒向着别人，这儿媳妇倒成了陌路人，「内」侄女儿竟成了「外」侄女儿了。』（此话正为开脱王王。拉上邢夫人垫话儿，表现王熙凤并不徇情自己的姑姑王夫人，而是大公无私，公事公办。赖大母亲深得三昧，话说到了贾母——王夫人——凤姐的心坎上。）说的贾母与众人都大笑起来了。赖大之母因又问道：『少奶奶们十二两，我们自然也该矮一等了。』贾母听说，道：『这使不得，你们虽该矮一等，我知道你们这几个都是财主，位虽低些，钱却比他们多的。你们和他们一例才使得。』（这里的利益分配消息很重要。赖大之母等人属于『奴隶贵族』，大致道理与资本主义社会的『工人贵族』阶层相似。）众嬷嬷听了，连忙答应。贾母又道：『姑娘们不过应个景儿，每人照一个月的月例就是了。』又回头叫：『鸳鸯，来，你们也凑几个人，商议凑了来。』鸳鸯答应着，去不多时，带了平儿、袭人、彩霞等，还有几个丫头来，也有二两的，也有一两的。

贾母因问平儿：『你难道不替你主子做生日，还入在这里头？』平儿笑道：『我那个私自另外的有了，这是公中的，也该出一分。』（这里也有公私之辨。）贾母笑道：『这才是好孩子。』凤姐又笑道：『上下都全了。还有二位姨奶奶，他出不出，也问一声儿。尽到他们是理，不然，他们只当小看了他们了。』贾母听说，忙说：『可是呢，怎么倒忘了他们？只怕他们不得闲儿，叫一个丫头问问去。』（偏偏不忘让痛恨凤姐的赵姨娘来为凤姐过生日，而且摆出尊重赵团结赵的姿态，这种政治性行事方式颇有特色。初看是风度，再一想，厉害！也许不无恶作剧的戏谑心。）说着，早有丫头去了。半日回来说道：『每位也出二两。』贾母喜道：『拿笔砚来算明，共记多少。』尤氏因悄骂凤姐道：『我把你这没足够的小蹄子！这么些婆婆婶子来凑银子给你做生日，你还不足，又拉上两个苦瓠子做什么？』（这里有两套语言谱系，大面上的与私下的。）凤姐也悄笑道：『你少胡说！一会子离了这里，我才和你算帐。他们两个为什么苦呢？有了钱，也是白填还别人，不如拘了来，咱们乐。』（不仅是『乐』。反正你也得效忠。）说着，早已合算了，共凑了一百五十两有余。贾母道：『一天戏酒用不了。』尤氏道：『既不请客，酒席又不多，两三日的用度都够了。头等，戏不用钱，省在这上头。』（看来贾府内部仍然实行某种程度的经济核算、货币结算，并非一切行政调拨。）贾母道：『凤丫头说那一班好，就传那一班。』凤姐道：『咱们家的班子都听熟了，倒是花几个钱叫一班来听听罢。』贾母道：『这件事我交给珍哥媳妇了，越发叫凤丫头别操一点心，受用一日才算。』尤氏答应着，又说了一回话，都知贾母乏了，才渐渐的散出来。（由贾母亲自召集最高层的广泛协商，为凤姐过生日，实是凤姐事业与生活的一个高峰。到了最高峰，也就每况愈下了。吃了又吃，玩了又玩，热闹了又热闹。真是过不完的好日子。却又是寄生、无聊、无意义、重复……越是红火，越是显示了往后的衰微悲凉。）

尤氏等送出邢夫人王夫人二人散去，他往凤姐房里来，商议怎么办生日的话。凤姐儿道：『你不用问我，你只看老太太的眼色儿行事就完了。』（与尤氏还是『过得着』的。）尤氏笑道：『你这阿物儿，也忒行了大运了。我当有什么事叫我们去，原来单为这个。出了钱不算，还要我操心。你怎么谢我？』凤姐笑道：『别扯臊！我又没叫你来，谢你什么！你怕操心，你这会子就回老太太去，再派一个就是了。』（得宠得宠，其甜无穷！）尤氏笑道：『你瞧他，兴的这个样儿！我劝你收着些儿好，太满了就出来了。』（话是如此说，谁又能在兴头上及时收缩呢？或者可以换一个说法，得尽欢时且尽欢，当缩手时自缩手！）二人又说了一回方散。

次日，将银子送到宁国府来，尤氏方才起来梳洗，因问：『是谁送过来的？』丫头们回说：『林妈。』尤氏便命：『叫了他来。』丫头们走至下房，叫了林之孝家的过来。尤氏命他脚踏上坐了，一面忙着梳洗，一面问他：『这一包银子共多少？』林之孝家的回说：『这是我们底下人的银子凑了先送过来。老太太和太太们的还没有呢。』正说着，丫头们回说：『那府里太太和姨太太打发人送分子来了。』尤氏笑骂道：『小蹄子！专会记得这些没要紧的话。昨儿不过老太太一时高兴，故意的要学那小家子凑分子，你们就记得，到了你们嘴里当正经的说，还不快接了进来，好生待茶，再打发他们去。』（『凑分子』云云，语词太平民化了。老太太可以『平民化』，小蹄子岂可将主子平民化！）丫头们笑着忙接银子进来，一共两封，连宝钗、黛玉的都有了。尤氏问：『还少谁的？』林之孝家的道：『还少老太太、太太、姑娘们的，我们底下姑娘们的。』尤氏道：『还有你们大奶奶的呢？』林之孝家的道：『奶奶过去，这银子都从二奶奶手里发，一共都有了。』

说着，尤氏梳洗了，命人伺候车辆，一时来至荣府，先来见凤姐，只见凤姐已将银子封好，正要送去。尤氏问：『都齐了么？』凤姐笑道：『都有了，快拿去罢，丢了我不管。』尤氏笑道：『我有些信不及，倒要当面点一点。』说着，果然按数一点，只没有李纨的一分。（小小不言之处，也要搞点『腐败』。）尤氏笑道：『我说你闹鬼呢！怎么你大嫂子的没有？』凤姐笑道：『那么些还不够？就短一分儿也罢了，等不够了，我再找给你。』尤氏道：『昨儿你在人跟前做人，今儿又来和我赖，这个断然不依你！我只和老太太要去。』（这里的『做人』，今称『做人情』。）凤姐笑道：『我看你利害，明儿有了事，我也「丁是丁，卯是卯」的，你也别抱怨。』尤氏笑道：『你一股儿不给也罢，不看你素日孝敬我，我本来依你么？』说着，把平儿的一分子拿了出来，说道：『平儿，来，把你的收了去，等不够了，我替你添上。』平儿会意，笑说道：『奶奶先使着，若剩了下来，再赏我一样。』尤氏笑道：『只许你主子作弊，就不许我作情儿？』（当面是一套，背后另是一套。尤氏这么一点权，也要以权徇情，搞『猫儿腻』。不怨赵姨娘等对凤姐等掌权者恨之入骨。都知道这是明白话。问题是，敛财本是手段，手段本身成了目的。敛财的欲望、乐趣便大大超过了对于财物本身的需要限度。这叫做全面腐败。）平儿只得收了。

尤氏又道：『我看着你主子这么细致，弄这些钱，那里使去？使不了，明儿带了棺材里使去。』一面说着，一面又往贾母处来。先请了安，大概说了两句话，便走到鸳鸯房中，和鸳鸯商议，只听鸳鸯的主意行事，何以讨贾母喜欢。二人计议妥当。尤氏临走时，也把鸳鸯的二两银子还他，说：『这还使不了呢。』说着，一径出来，又至王夫人跟前说了一回话，因王夫人进了佛堂，把彩云的一分也还了他。凤姐儿不在跟前，一时把周赵二人的也还了。他两个还不敢收，尤氏道：『你们可怜见的，那里有这些闲钱？凤丫头便知道了，有我应着呢。』（尤氏的行事方法自有特点。知其恶，行其善。尤氏的做事与说话都很有水平，可惜此后便再无表现了。）二人听说，千恩万谢的收了。

转眼已是九月初二日，园中人都打听得尤氏办得十分热闹，不但有戏，连要百戏并说书的女先儿全有，都打点着取乐玩耍。李纨又向众姐妹道：『今儿是正经社日，可别忘了。宝玉也不来，想必他只图热闹，把清雅就丢了。』说着，便命丫头：『去瞧做什么呢，快请了来。』丫头去了半日，回说：『花大姐姐说：「今儿一早就出门去了。」』众人听了都诧异，说：『再没有出门之理。这丫头糊涂，不知说话。』因又命翠墨去。一时翠墨回来，说：『可不真出门了。说有个朋友死了，出去探丧去了。』探春道：『断然没有的事。凭他什么，再没有今日出门之理。你叫袭人来，我问他。』

刚说着，只见袭人走来，李纨等都说道：『今儿凭他有什么事，也不该出门。头一件，你二奶奶的生日，老太太都这么高兴，两府上下众人来凑热闹，他倒走了？第二件，又是头一社的正日子，他也不告假，就私自去了！』

袭人叹道：『昨儿晚上就说了，今儿一早有要紧的事，到北静王府里去，就赶回来的，劝他不要去，他必不依。今儿一早起来，又要素衣裳穿，想必是北静王府的要紧姬妾没了，也未可知。』（袭人能在这样的日子不派另外的跟随，不请示报告就放宝玉走，实辜负了王夫人对她的信任与特加津贴。恐不是袭人的疏忽，这样的事她岂有可能疏忽，而是小说情节安排的需要，曹公硬着头皮让袭人疏忽一次。当然也有另外的可能，袭人默许默契宝玉去祭金钏，袭人在王夫人的要求与宝玉的任性当中自然要搞好平衡。真得罪了宝玉，也影响她的前途。果如是，『袭人姐姐』倒也可爱。）李纨等道：『若果如此，也该去走走，只是也该回来了。』说着，大家又商议：『咱们只管作诗，等他来罚他。』刚说着，只见贾母已打发人来请，便都往前头去了。袭人回明宝玉的事，贾母不乐，便命人接去。

原来宝玉心里有件心事，于头一日就吩咐焙茗：『明日一早出门，备两匹马在后门口等着，不要别一个跟着。说给李贵，我往北府里去了。倘或要有人找，叫他拦住不用找，只说北府里留下了，横竖就来的。』焙茗也摸不着头脑，只得依言说了；今儿一早，果然备了两匹马，在园后门等着。天亮了，只见宝玉遍体纯素，从角门出来，一语不发，跨上马，一弯腰，顺着街就趱下去了。焙茗也只得跨上马，加鞭赶上，在后面忙问：『往那里去？』宝玉道：『这条路是往那里去的？』焙茗道：『这是出北门的大道，出去了冷清清，没有可玩的。』宝玉听说，点头道：『正要冷清清的地方好。』说着，越发加了两鞭，那马早已转了两个弯子，出了城门。

焙茗越发不得主意，只得紧紧的跟着。一气跑了七八里路出来，人烟渐渐稀少，宝玉方勒住马，回头问焙茗道：『这里可有卖香的？』焙茗道：『香倒有，不知是那一样？』宝玉想道：『别的香不好，须得檀、芸、降三

样。』焙茗笑道：『这三样可难得。』宝玉为难。焙茗见他为难，因问道：『要香做什么使？我见二爷时常有的小荷包儿有散香，何不找一找？』一句提醒了宝玉，便回手——衣襟上挂着个荷包——摸了一摸，竟有两星沉速，心内欢喜：『只是不恭些。』再想：『自己亲身带的，倒比买的又好些。』于是又问炉炭，焙茗道：『这可罢了，荒郊野外，那里有？既用这些，何不早说，带了来，岂不便宜？』宝玉道：『糊涂东西！若可带了来，又不这样没命的跑了。』

焙茗想了半日，笑道：『我得了个主意，不知二爷心下如何？我想来二爷不止用这个呢，只怕还要用别的，这也不是事；如今我们就往前再走二里地，就是水仙庵了。』宝玉听了，忙问：『水仙庵就在这里？更好了！我们就去。』说着就加鞭前行，一面回头向焙茗道：『这水仙庵的姑子长往咱们家去，这一去到那里和他借香炉使使，他自然是肯的。』焙茗道：『别说是咱们家的香火，就是平白不认识的庙里，和他借，他也不敢驳回。（焙茗很得力。）只是一件，我常见二爷最厌这水仙庵的，如何今儿又这样喜欢了？』宝玉道：『我素日最恨俗人不知原故混供神，混盖庙。这都是当日有钱的老公们和那些有钱的愚妇们，听见有个神，就盖起庙来供着，也不知那神是何人，因听些野史小说，便信真了。（这些议论都很清醒。）比如这水仙庵里面，因供的是洛神，故名水仙庵。殊不知古来并没有个洛神，那原是曹子建的谎话，谁知这起愚人就塑了像供着。今儿却合我的心事，故借他一用。』（『借他一用』，讲得好。庙宇云云，『借来』抒发排遣人的思念或祝愿，这是实情。只这样说未免太清醒，太难以安慰自己了。『上帝死了』。）

说着早已来至门前。那老姑子见宝玉来了，事出意外，竟像天上掉下个活龙来的一般，忙上来问好，命老道来接马。宝玉进去，也不拜洛神之像，却只管赏鉴；虽是泥塑的，却真有那『翩若惊鸿，婉若游龙』之态，『荷出绿波，日映朝霞』之姿。宝玉不觉滴下泪来。（作为审美对象而不是崇拜对象，洛神自有魅力。）老姑子献了茶。宝玉因和他借香炉烧香。那姑子去了半日，连香供纸马都预备了来。宝玉一概不用。命焙茗捧着炉，出至后园中，拣一块干净地方儿，竟拣不出。（宝玉也需要有一个寄托自己的私人空间，而寻找这样一个空间是何等困难！也是一种『道德完成』。毫无实践内涵的自我道德完成。）焙茗道：『那井台上如何？』宝玉点头。一齐来至井台上，将炉放下，焙茗站过一旁。

宝玉掏出香来焚上，含泪施了半礼，回身命收了去。焙茗答应，且不收，忙爬下磕了几个头，（一次闹书房，一次祭奠，焙茗也有点灵气了。也算近朱者赤。）口内祝道：『我焙茗跟二爷这几年，二爷的心事，我没有不知道的，只有今儿这一祭祀，没有告诉我，我也不敢问。只是受祭的阴魂，虽不知名姓，想来自然是那人间有一、天上无双的极聪敏极清雅的一位姐姐妹妹了。二爷的心事不能出口，让我代祝你：你若有灵有圣，我们二爷这样想着你，你也时常来望候望候二爷，未尝不可；你在阴间，保佑二爷来生也变个女孩儿，和你们一处玩耍，岂不两下里都有趣了。』（本来很凄清、很伤感的一节，加上焙茗一闹，又变成了喜剧了。也算哀而不伤。也算间离效果。也是缺少大的悲剧与悲剧意识的一种表现。）说毕，又磕了几个头，才爬起来。宝玉听他没说完，便掌不住笑了。因踢他道：『休胡说，看人听见笑话。』焙茗起来，收过香炉，和宝玉走着，因道：『我已经合姑子说了，二爷还没用饭，叫他收拾了些东西，二爷勉强吃些。我知道今儿里头大排筵宴，热闹非常，二爷为此才躲了来的。横竖在这里清净一天，（喜清净者可救可恕。）也就尽乐了；要不吃东西，断使不得。』宝玉道：『戏酒既不吃，这随便的吃些何妨。』焙茗道：『这才是。还有一说，咱们来了，必有人不放心。若没有人不放心，便晚晚进城何妨？若有人不放心，二爷须得进城回家去才是。第一老太太、太太也放了心；第二礼也尽了，不过如此。就是家去了，看戏吃酒，也并不是爷有意，原不过陪着父母尽孝道。若单为了这个，不顾老太太、太太悬心，就是方才那受祭的阴魂也不安生。二爷想，我这话如何？』（焙茗的中庸之道，何等合乎分寸而又照顾周到，入情入理，十分好听。简直算得上『思想工作』了。这也是中庸，这也是机变，这也是灵活处理，中国人这方面的功夫，深了！）宝玉笑道：『你的意思我猜着了：你想着只你一个跟了我出来，回来你怕担不是，所以拿这大题目来劝我。我才来了，不过为尽个礼，再去吃酒看戏，并没说一日不进城。这已完了心愿，赶着进城，大家放心岂不两尽其道。』（两尽其道——宝玉的中庸之道。宝玉的行为仍然是有分寸的，不出大格的。只是某些言论——如对于『文死谏武死战』的抨击过激，某些生活小节过于任性。此外，他哪里敢叛逆谁？他骨子里仍然是顺民孝子。）焙茗道：『这更好。』说着二人来至禅堂，果然那姑子收拾了一桌素菜。

宝玉胡乱吃了些，焙茗也吃了，二人便上马，仍回旧路。焙茗在后面，只嘱咐：『二爷好生骑着。这马总没大骑，手提紧着些。』一面说着，早已进了城，仍从后门进去，忙忙来至怡红院中。袭人等都不在屋中，只有几个老婆子看屋子，见他来了，都喜的眉开眼笑，道：『阿弥陀佛，可来了！没把花姑娘急疯了呢！上头正坐席呢，二爷快去罢。』宝玉听说，忙将素衣脱了，自己找了颜色吉服换上，便问道：『都在什么地方坐席呢？』老婆子们回道：『在新盖的大花厅上呢。』

宝玉听了，一径往花厅上来，耳内早隐隐闻得箫管歌吹之声。刚到穿堂那边，只见玉钏儿独坐在廊檐下垂泪，一见宝玉来了，便长出了一口气，顺着嘴儿说道：『嗳，凤凰来了！快进去罢。再一会子不来，可就都反了。』宝玉陪笑道：『你猜我往那里去了？』（仍未说破，小小悬念。）玉钏儿把身一扭，也不理他，只管拭泪。宝玉只得快快的进去了，到了花厅上，见了贾母王夫人等，众人真如得了『凤凰』一般。贾母先问道：『你往那里去了，这早晚才来？还不给你姐姐行礼去呢！』因笑着又向凤姐儿道：『你兄弟不知好歹。就有要紧的事，怎么也不说一声儿，就私自跑了，这还了得！明儿再这样，等你老子回家，必告诉他打你。』凤姐儿笑着道：『行礼倒是小事，宝兄弟明儿断不可不言语一声儿，也不传人跟着，就出去。街上车马多，头一件叫人不放心；再，也不像咱们这样人家出门的规矩。』

这一节对展示宝玉的性格极为重要。一边是生日的乐上加乐，一边是对死者的悲悼和愧悔。一边是上下同庆的红火，一边是悄然独去的凄清。一边是计划安排『有组织有领导』，一边是漫无目的，四顾茫茫。一边是大张旗鼓，鸡飞狗跳，一边是偷偷摸摸，遮遮掩掩。怎样鲜明而又令人惆怅的对比！宝玉毕竟有自己的精神世界，自己的痛苦，自己的难言之隐。客观上，他用这种最软弱无力的形式抵抗着王王体制，控诉着乃母对金钏的残酷迫害，厌倦着家里的锦上花、花上锦的空虚享乐的生活。但宝玉又离不开贾母—王夫人—王熙凤体制，享受着这个家。所以他的反抗极为消极软弱，简直是自欺欺人。

这里贾母又骂跟的人：『为什么都听他的话，说往那里去就去了，也不回一声儿！』一面又问他：『到底是往那里去了？可吃了些什么没有？唬着了没有？』宝玉只回说：『北静王的一个爱妾没了，今日给他道恼去。我见他哭的那样，不好撇下他就回来，所以多等了会子。』（早想好了的瞎话。世界上有矛盾，有内心矛盾又有弱者，便有救命的瞎话了。）贾母道：『以后再私自出门，不先告诉我，一定叫你老子打你。』宝玉连忙答应着。贾母又要打跟的人，众人又劝道：『老太太也不必生气了，他已经答应不敢了，况且回来又没事，大家该放心乐一会子了。』

宝玉远热闹而独冷清，令人感动。宝玉的形象大为改善了。也算众人皆醉我独醒。有至情至性者常常不能合俗。此节亦有一种暗示的意味，可以看作宝玉逃离红尘的预演。

贾母先不放心，自然着急发狠，今见宝玉回来，喜且有余，那里还恨，也就不提了。（重个案，而不重制度。）还怕他不受用，或者别处没吃饭，路上着了惊恐，反又百般的哄他。袭人早已过来伏侍。大家仍旧看戏。当日演的是《荆钗记》，贾母薛姨妈等都看的心酸落泪，也有笑的，也有恨的，也有骂的。要知端底，下回分解。

你的生日，他的祭日，这就是人生。这样的宝玉，居然还想向玉钏报功，可爱，可怜，又不免可耻！

第四十四回　变生不测凤姐泼醋　喜出望外平儿理妆

话说众人看演《荆钗记》，宝玉和姊妹一处坐着，林黛玉因看到《男祭》这出上，便和宝钗说道：『这王十朋也不通的很，不管在那里祭一祭罢了，必定跑到江边上来做什么！俗语说，「睹物思人」，天下的水总归一源，不拘那里的水舀一碗，看着哭去，也就尽情了。』（黛玉也完全了解，故出语讽劝。）宝钗不答。（宝钗则非礼勿闻。非礼勿言。）宝玉回头要热酒敬凤姐。原来贾母说，今日不比往日，定要教凤姐痛乐一日；本自己懒怠坐席，只在里间屋里榻上歪着，和薛姨妈看戏，随心爱吃的拣几样放在小几上，随意吃着说话儿。将自己两桌席面，赏那没有席面的大小丫头并那应着差听差的妇人等，命他们在窗外廊檐下，也只管坐着随意吃喝，不必拘礼。王夫人和邢夫人在地下高桌上坐着，外面几席是他们姊妹们坐。贾母不时吩咐尤氏等：『让凤丫头坐上面，你们好生替我待东，难为他一年到头辛苦。』尤氏答应了，又笑回道：『他说坐不惯首席，坐在上头，横不是竖不是的，酒也不肯吃。』贾母听了，笑着：『你不会，等我亲自让他去。』（宠到何等地步。令人联想到历史上的一些宠臣——多半下场并不美妙。）凤姐儿忙也进来笑说：『老祖宗别信他们的话，我吃了好几钟了。』贾母笑着，命尤氏：『快拉他出去，按在椅子上，你们都轮流敬他，他再不吃，我当真的就亲自去了。』

尤氏听说，忙笑着又拉他出来坐下，命人拿了台盏，斟了酒，笑道：『一年到头，难为你孝顺老太太、太太和我。我今儿没什么疼你的，亲自斟酒。我的乖乖，你在我手里喝一口罢。』（这里用『乖乖』一词，竟与英语的昵称『baby』完全一致。这二人的调笑几乎有同性恋的味道。）凤姐儿笑道：『你要安心孝敬我，跪下，我就喝。』尤氏笑道：『说的你不知是谁！我告诉你说罢，好容易今儿这一遭，过了后儿，知道还得像今儿这样的不得了？趁着尽力灌两钟子罢。』（也是谶语。也是好景不长，今朝有酒今朝醉的流行颓废思想。）凤姐儿见推不过，只得喝了两钟。接着众姐妹也来，凤姐也只得每人的喝一口。赖大妈妈见贾母尚且这等高兴，也少不得来凑趣儿，领着些嬷嬷们也来敬酒。凤姐儿也难推脱，只得喝了两口。鸳鸯等也都来敬，凤姐儿真不能了，忙央告道：『好姐姐们，饶了我罢，我明儿再喝罢。』鸳鸯笑道：『真个的，我们是没脸的了？就是我们在太太跟前，太太还赏个脸儿呢。往常倒有些体面，今儿当着这些人，倒做起主子的款儿来了。我原不该来，不喝，我们就走。』（从当权的角度看，鸳鸯也是『主流派』人士，故而说话不凡。）说着真个回去了。凤姐儿忙忙拉住，笑道：『好姐姐，我喝就是了。』说着拿过酒来，满满的斟了一杯喝干，鸳鸯方笑了散去。（闹酒劝酒，与今天一样。好处是大观园还有更多的文化娱乐活动。）

然后又入席，凤姐儿自觉酒沉了，心里突突的往上撞，要往家去歇歇，只见那要百戏的上来，（百戏，杂技，要啥有啥。）便和尤氏说：『预备赏钱，我要洗洗脸去。』尤氏点头，凤姐儿瞅人不防，便出了席，往房门后檐下走来。平儿留心，也忙跟了来，凤姐便扶着他。才至穿廊下，只见他房里的一个小丫头子，正在那里站着，见他两个来了，回身就跑。凤姐儿便疑心忙叫；那丫头先只装听不见，无奈后面连声儿叫，也只得回来。凤姐儿越发起了疑心，忙和平儿进了穿廊，叫那小丫头子也进来，把槅扇开了，凤姐坐在小院子的台阶上，命那丫头子跪了，喝命平儿：『叫两个二门上的小厮来，拿绳子鞭子，把眼睛里没主子的小蹄子打烂了！』（出口不凡，知道暴力的重要。）

那小丫头子已经吓的魂飞魄散，哭着只管碰头求饶。凤姐儿问道：『我又不是鬼，你见了我，不识规矩站住，怎么倒往前跑？』（规矩的背景是绳子与鞭子。）小丫头子哭道：『我原没看见奶奶来，我又记挂着屋里无人，所以跑了。』凤姐儿道：『屋里既没人，谁叫你又来的？你便没看见，我和平儿在后头扯着脖子叫了你十来声，越叫越跑。离的又不远，你聋了不成？你还和我强嘴！』说着，便扬手一掌，打在脸上，打的那小丫头子一栽；这边脸上又一下，登时小丫头子两腮紫胀起来。（起掌神速，敢于下手，是个有作为的。）平儿忙劝：『奶奶仔细手疼。』凤姐便说：『你再打着问他跑什么。他再不说，把嘴撕烂了他的！』

那小丫头子先还强嘴，后来听见凤姐儿要烧了红烙铁来烙嘴，方哭道：『二爷在家里，打发我来这里瞧着奶奶的，要见奶奶散了，先叫我送信去的。不承望奶奶这会子就来。』凤姐儿见话中有文章，便又问道：『叫你瞧着我做什么？难道怕我家去不成？必有别的原故，快告诉我，我从此以后疼你。你要不细说，立刻拿刀子来割你的肉！』说着，回头向头上拔下一根簪子来，向那丫头嘴上乱戳，（肉刑传统。）吓的那丫头一行躲，一行哭求道：『我告诉奶奶，可别说我说的。』（不动手，讲文明，问得出实情来吗？所以说，『百无一用是书生』。）平儿一旁劝，一面催他，叫他快说。丫头便说道：『二爷也是才来，来了就开箱子，拿了两块银子，还有两支簪子，两匹缎子，叫我悄悄的送与鲍二的老婆去，叫他进来。他收了东西，就往咱们屋里来了。二爷叫我瞧着奶奶，底下的事，我就不知道了。』

凤姐听了，已气的浑身发软，忙立起身来，一径来家。刚至院门，只见有一个小丫头在门前探头儿，一见了凤姐，也缩头就跑。凤姐儿提着名字喝住，那丫头本来伶俐，见躲不过了，越发的跑了出来，笑道：『我正要告诉奶奶去呢，可巧奶奶来了。』凤姐道：『告诉我什么？』那丫头便说：『二爷在家……』这般如此，将方才的话也说了一遍。凤姐啐道：『你早做什么了？这会子我看见你了，你来推干净儿！』说着，扬手一下，打的那丫头一个趔趄，（又是一掌。对这样的『两面派』，倒也该打。）便蹑脚儿走了。

凤姐来至窗前，往里听时，只听里头说笑道：（叫做『听窗根』，已是专门语词。）『多早晚你那阎王老婆死了就好了。』

贾琏道：『他死了，再娶一个也这样，又怎么样呢？』那妇人道：『他死了，你倒是把平儿扶了正，只怕还好些。』贾琏道：『如今连平儿他也不叫我沾一沾了。平儿也是一肚子委屈，不敢说。我命里怎么就该犯了「夜叉星」！』

凤姐听了，气的浑身乱战。又听他们都赞平儿，便疑平儿素日背地里自然也有怨语了。（这些关节写得何等严密，何等精彩。）那酒越发涌上来了，也并不忖夺，回身把平儿先打两下。（平儿是已臻化境的高级奴才，仍逃不掉挨打的命！把平儿先打两下，这才有了热闹。否则，只和鲍二家的闹闹，有什么意思？）一脚踢开了门进去，也不容分说，抓着鲍二家的撕打一顿。又怕贾琏走出去，便堵着门站着骂道：『好娼妇！你偷主子汉子，还要治死主子老婆！平儿，过来！你们娼妇们一条藤儿多嫌着我，外面儿你哄我！』说着，又把平儿打了几下。打的平儿有冤无处诉，只气得干哭。骂道：『你们做这些没脸的事，好好的又拉上我做什么！』说着，也把鲍二家的撕打起来。（平儿只能找更可怜的鲍二家的出气。『红中平儿一切言谈行事，『臻于至善』，唯打鲍二家的一节，令人摇头。为平儿计，不如咬牙不语。因为她这一打，暴露了她的卑贱的奴才性格。挨了凤姐的打，还要打别人以讨好凤姐。）

贾琏也因吃多了酒，进来高兴，未曾做的机密，一见凤姐来了，已没了主意。又见平儿也闹起来，把酒也气上来了。凤姐儿打鲍二家的，他已又气又愧，只不好说的；今见平儿也打，便上来踢骂道：『好娼妇！你也动手打人！』平儿气怯，忙住了手，哭道：『你们背地里说话，为什么拉我呢？』凤姐见平儿怕贾琏，越发气了，又赶上来打着平儿，偏叫打鲍二家的。（偏叫平儿去打，不惜把平儿夹在当中受罪，实是一种阴毒。）平儿急了，便跑出来找刀子要寻死。外面众婆子丫头忙拦住解劝。这里凤姐见平儿寻死去，便一头撞在贾琏怀里，叫道：『你们一条藤儿害我，被我听见，倒都唬起我来。你也勒死我罢！』（其实她也不敢正面与贾琏争斗。）贾琏气的墙上拔出剑来，说道：『不用寻死，我真急了，一齐杀了，我偿了命，大家干净！』（拔剑云云，本是英雄气概，却被『解构』了。）正闹的不开交，只见尤氏等一群人来了，说：『这是怎么说？才好好的，就闹起来。』贾琏见了人，越发『倚酒三分醉』，逞起威风来，故意要杀凤姐儿。（乐极生悲，现世现时现报，毫厘不爽。）凤姐儿见人来了，便不似先前那般泼了，丢下众人，便哭着往贾母那边跑。

此时戏已散了，凤姐跑到贾母跟前，爬在贾母怀里，只说：『老祖宗救我！琏二爷要杀我呢。』（比『戏』还戏。）贾母、邢夫人、王夫人等忙问：『怎么了？』凤姐儿哭道：『我才家去换衣裳，不防琏二爷在家和人说话，我只当是有客来了，唬的我不敢进去，在窗户外头听了一听，原来是鲍二家的媳妇，商议说我利害，要拿毒药给我吃了，治死我，把平儿扶了正。我原生了气，又不敢和他吵，原打了平儿两下，问他为什么害我。他臊了，就要杀我。』（信口一说就是一个版本。激怒如此，思绪应对不乱，真『人才』也。）贾母听了，都信以为真，说：『这还了得！快拿了那下流种子来！』

一语未完，只见贾琏拿着剑赶来，后面许多人跟着。贾琏明仗着贾母素昔疼他们，连母亲婶母也无碍，故逞强闹了来。邢夫人王夫人见了，气的忙拦住骂道：『这下流东西！你越发反了，老太太在这里呢！』贾琏乜斜着眼道：『都是老太太惯的他，他才这样，连我也骂起来了！』邢夫人气的夺下剑来，只管喝他：『快出去！』那贾琏撒娇撒痴，涎言涎语的，还只乱说。贾母气的说道：『我知道你不把我们放在眼里，叫人把他老子叫来，看

他去不去？』贾琏听见这话，方趔趄着脚儿出去了，赌气也不往家去，便往外书房来。

这里邢夫人王夫人也说凤姐，贾母道：『什么要紧的事！小孩子们年轻，馋嘴猫儿似的，那里保的住不这么着？从小儿是人都打这么过的。都是我的不是，叫你多吃了两口酒，又吃起醋来了。』（封建道德的虚伪性。实际上另是一套。）说的众人都笑了。贾母又道：『你放心，明儿我叫他来，替你赔不是。你今儿别过去臊着他。』因又骂：『平儿那蹄子，素日我倒看他好，怎么暗地里这么坏！』尤氏等笑道：『平儿没有不是，是凤姐拿着人家出气。两口子不好，对打，都拿着平儿煞性子；平儿委屈的什么儿似的，老太太还骂人家。』（尤氏何等公道。也有利害考虑，归根结底，平儿是『倒』不了的，这次的事件是偶然事件，切不可人云亦云，落井下石。美言几句，有利于宁府荣府两边主流派的和睦关系。）贾母道：『原来这样，我说那孩子倒不像那狐媚魔道的。既这么着，可怜见的，白受他的气。』因叫：『琥珀，来，你去告诉平儿，就说我的话：我知道他受了委屈，明儿我叫他主子来替他赔不是。今儿是他主子的好日子，不许他胡恼。』（贾母倒也能听得进去意见。）

原来平儿早被李纨拉入大观园去了。平儿哭的哽噎难言，宝钗劝道：『你是个明白人，你们奶奶素日何等待你，今儿不过他多吃了一口酒，他可不拿你出气，难道拿别人出气不成？别人又笑话他是假的了。』（充当主子出气对象，是奴才的任务，更是奴才的脸面。如此，宝钗才问：『难道拿别人出气不成？』意为：别人还不够资格呢。）正说着，只见琥珀走来，说了贾母的话，平儿自觉面上有了光辉，方才渐渐的好了，也不往前头来。宝钗等歇息了一回，方来看贾母凤姐。

宝玉便让了平儿到怡红院中来，袭人忙接着，笑道：『我先原要让你的，只因大奶奶和姑娘们都让你，我就不好让的了。』平儿也陪笑说：『多谢。』因又说道：『好好儿的，从那里说起！无缘无故白受了一场气。』袭人笑道：『二奶奶素日待你好，这不过是一时气急了。』平儿道：『二奶奶倒没说的，（二奶奶没说的，事关平儿的立身行事之本，忠于凤，是基本原则，不论受了什么委屈，一句『没说的』就罢了。）只是那娼妇治的我，他又偏拿我凑趣儿！还有我们那糊涂爷，倒打我。』说着，便又委屈，禁不住泪流下来。宝玉忙劝道：『好姐姐，别伤心，我替他两个赔个不是罢。』平儿笑道：『与你什么相干？』宝玉笑道：『我们兄弟姊妹都一样。他们得罪了人，我替他赔个不是，也是应该的。』又道：『可惜这新衣裳也沾了，这里有你花妹妹的衣裳，何不换了下来，拿些个烧酒喷了，熨一熨，把头也另梳一梳。』一面说，一面吩咐了小丫头子们：『舀洗脸水，烧熨斗来。』（宝玉的体贴、无事忙，近乎可笑，仍然不失天真可爱。）

平儿素昔只闻人说宝玉专能和女孩们接交，宝玉素日因平儿是贾琏的爱妾，又是凤姐儿的心腹，故不肯和他厮近，因不能尽心，也常为恨事。平儿如今见他这般，心中也暗暗的战敠：『果然话不虚传，色色想的周到。』又见袭人特特的开了箱子，拿出两件不大穿的衣服，忙来洗了脸；宝玉一旁笑劝道：『姐姐还该擦上些脂粉，不然，倒像是和凤姐姐赌气了似的。况且又是他的好日子，而且老太太又打发了人来安慰你。』（宝玉插的这一杠子令人好笑。令人又觉意外，又觉意中，又觉宝玉无聊没出息，又觉在这种时候平儿得一宝玉『伏侍』安慰一番也好。否则，偌大一个贾府，哪里还有体贴女性特别是女奴的主子？）平儿听了有理，便去找粉，只不见粉。宝玉忙走至妆台前，

将一个宣窑磁盒揭开，里面盛着一排十根玉簪花棒儿，拈了一根，递与平儿，又笑说道：『这不是铅粉，这是紫茉莉花种研碎了，对上料制的。』平儿倒在掌上看时，果见轻、白、红、香，四样俱美；扑在面上，也容易匀净，且能润泽，不像别的粉涩滞。（作者借此写粉论粉。然后是论胭脂。）然后看见胭脂，也不是一张，却是一个小小的白玉盒子，里面盛着一盒，如玫瑰膏子一样。宝玉笑道：『那市上卖的胭脂不干净，颜色也薄，这是上好的胭脂拧出汁子来，淘澄净了，配了花露蒸成的。只要细簪子挑一点儿，抹在唇上，足够了；用一点水化开，抹在手心里，就够拍脸的了。』平儿依言妆饰，果见鲜艳异常，且又甜香满颊。宝玉又将盆内开的一支并蒂秋蕙用竹剪刀铰了下来，替他簪在鬓上。（一定程度的性变态是宝玉性格特点的一个组成部分。这当然与他的处境有关，与他的消极颓废的人生观有关，也与贾府的总体状况有关——颇多年轻貌美聪明清俊上等的女孩子，而这些女孩子又处于『风刀霜剑严相逼』的境况中。但性变态毕竟是一种生理状况，不能全部以社会原因解释之。）忽见李纨打发丫头来唤他，方忙忙的去了。

宝玉因自来从不曾在平儿前尽过心，且平儿又是个极聪明、极清俊的上等女孩儿，比不得那起俗拙蠢物，深为怨恨。（聪明清俊与俗拙蠢物之辨，这大概该算是『女儿学』发凡了。）今日是金钏儿生日，故一日不乐。不想落后闹出这件事来，竟得在平儿前稍尽片心，也算今生意中不想之乐。因歪在床上，心内怡然自得。忽又思及：『贾琏惟知以淫乐悦己，并不知作养脂粉。』又思：『平儿并无父母兄弟姊妹，独自一人，供应贾琏夫妇二人，贾琏之俗，凤姐之威，他竟能周全妥贴，今儿还遭荼毒，也就薄命的很了。』想到此间，便又伤感起来。复又起身，见方才

的衣裳上喷的酒已半干，便拿熨斗熨了，叠好；见他的手帕子忘去，上面犹有泪痕，又搁在盆中，洗了晾上。（怜香惜玉，无所不至。）又喜又悲，闷了一回，也往稻香村来。说一回闲话，掌灯后方散。

平儿就在李纨处歇了一夜，凤姐儿只跟着贾母睡。贾琏晚间归房，冷清清的，又不好去叫，只得胡乱睡了一夜。次日醒了，想昨日之事，大没意思，后悔不来。邢夫人惦记着昨日贾琏醉了，忙一早过来，叫了贾琏过贾母这边来。（由于有贾母在上在先，也由于贾琏实在输了理，邢夫人这次是完全为凤姐做主的。是不是真心站在凤姐这一边呢？）贾琏只得忍愧前来，在贾母面前跪下。贾母问他：『怎么了？』贾琏忙陪笑说：『昨儿原是吃了酒，惊了老太太的驾，今儿来领罪。』贾母啐道：『下流东西！灌了黄汤，不说安分守己的挺尸去，倒打起老婆来了！凤丫头成日家说嘴，霸王似的一个人，昨儿唬的可怜。要不是我，你要伤了他的命，这会子怎么样？』贾琏一肚子的委屈，不敢分辩，只认不是。贾母又道：『凤丫头和平儿还不是个美人胎子？你还不足？成日家偷鸡摸狗，腥的臭的，都拉了你屋里去。为这起娼妇打老婆，又打屋里的人，你还亏是大家子的公子出身，活打了嘴了。你若眼睛里有我，你起来，我饶了你，乖乖的替你媳妇赔个不是儿，拉了他家去，我就喜欢了。要不然，你只管出去，我也不敢受你的跪。』（这次为凤姐说了话，留没留下后遗症——例如记下了一笔账，更嫌厌凤了呢？那就要往下细细地看了。）

贾琏听如此说，又见凤姐儿站在那边，也不盛妆，哭的眼睛肿着，也不施脂粉，黄黄脸儿，比往常更觉可怜可爱，（黄黄脸儿，更觉可怜可爱，这种写法别致。通常『黄脸婆』可不是褒语。）想着：『不如赔了不是，彼此也好了，

又讨老太太的喜欢。』（这种心理反映一种男子霸权主义的心态。他们喜欢的是弱者。）想毕，便笑道：『老太太的话我不敢不依，只是越发纵了他了。』贾母笑道：『胡说！我知道他最有礼的，再不会冲撞人。他日后得罪了你，我自然也做主，叫你降伏就是了。』（公正，公平，公开。）

贾琏听说，爬起来，便与凤姐儿作了一个揖，笑道：『原是我的不是，二奶奶别生气了。』满屋里的人都笑了。贾母笑道：『凤丫头，不许恼了。再恼，我就恼了。』说着，又命人去叫了平儿来，命凤姐儿和贾琏安慰平儿。贾琏见了平儿，越发顾不得了，所谓『妻不如妾』，听贾母一说，便赶上来说道：『姑娘昨日受了屈了，都是我的不是；奶奶得罪了你，也是因我而起。我赔了不是不算外，还替你奶奶赔个不是。』（所谓拿肉麻当有趣，拿恶心当有趣，『红』已有之。）说着，也作了一个揖，引的贾母笑了，凤姐儿也笑了。

贾母又命凤姐来安慰平儿，平儿忙走上来给凤姐儿磕头，说：『奶奶的千秋，我惹了奶奶生气，是我该死。』凤姐儿正自愧悔昨日酒吃多了，不念素日之情，浮躁起来，听了旁人话，无故给平儿没脸；今反见他如此，又是惭愧，又是心酸，忙一把拉起来，落下泪来。平儿道：『我伏侍了奶奶这么几年，也没弹我一指甲；就是昨儿打我，我也不怨奶奶，都是那娼妇治的，怨不得奶奶生气。』说着，也滴下泪来了。贾母便命人：『将他三人送回房去。有一个再提此话，即刻来回我，我不管是谁，拿拐棍子给他一顿。』三个人从新给贾母、邢王二位夫人磕了头，老嬷嬷答应了，送他三人回去。（主奴之义，也能感动得人落泪。哪怕最腐朽的道德观念，也能引发出一种动人的激情，甚至是颇具崇高感的激情。读到这里，我们不是也为凤平的忠主爱奴之情几乎泪下了么——当然我们极厌恶主奴制度。夫、妻、

妾的问题也需要家长主持、管理、介入。中国的家长制真是奥妙无穷，自成格局，以现代观念看不可思议而又行之有效。用不讲理解决矛盾，『红』已有之。）

至房中，凤姐儿见无人，方说道：『我怎么像个阎王，又像夜叉？那娼妇咒我死，你也帮着咒我。千日不好，也有一日好。可怜我熬的连个混账女人也不如了，我还有什么脸来过这个日子。』说着，又哭了。贾琏道：『你还不足？你细想想，昨儿谁的不是多？今儿当着人，还是我跪了一跪，又赔不是，你也争足了光了。这会子还唠叨，难道你还叫我替你跪下才罢？太要足了强，也不是好事。』（人人给凤姐进类似的言。也是『红』的主题、『教育意义』的一个重要内容。）说的凤姐儿无言可对。平儿『嗤』的一声又笑了。贾琏也笑道：『又好了！真真的我也没法了。』

正说着，只见一个媳妇来回说：『鲍二媳妇吊死了。』贾琏凤姐儿都吃了一惊。凤姐忙收了怯色，（忙收怯色，真乃强人。）反喝道：『死了罢了！有什么大惊小怪的！』（这也是一种强人观，对旁人之死毫不介意。）一时只见林之孝家的进来，悄回凤姐道：『鲍二媳妇吊死了，他娘家的亲戚要告呢。』凤姐儿冷笑道：『这倒好了，我正想要打官司呢！』林之孝家的道：『我才和众人劝了他们，又威吓了一阵，又许了他几个钱，也就依了。』凤姐儿道：『我没一个钱。有钱也不给，只管叫他告去。也不许劝他，也不用镇吓他，只管让他告去。他告不成，我还问他个「以尸诈讹」呢！』林之孝家的正在为难，见贾琏和他使眼色儿，心下明白，便出来等着。贾琏道：『我出去瞧瞧，看是怎么样。』凤姐儿道：『不许给他钱。』（凤姐的不许给钱，其实也是说说。）

贾琏一径出来，和林之孝来商议，着人去做好做歹，许了二百两发送才罢。贾琏生恐有变，又命人去和王子腾说了，将番役仵作人等叫几名来，帮着办丧事。那些人见了如此，纵要复办，亦不敢办，只得忍气吞声罢了。贾琏又命林之孝将那二百银子入在流年账上，分别添补，开消过去。（自有对策。空子总是有的。）又体己给鲍二些银两，安慰他说：『另日再挑个好媳妇给你。』鲍二又有体面，又有银子，有何不依，便仍然奉承贾琏，不在话下。

里面凤姐心中虽不安，面上只管佯不理论，因屋中无人，便和平儿笑道：『我昨儿多喝了一口酒，你别埋怨。打了那里？让我瞧瞧。』（赔礼道歉。）平儿道：『也没打重。』只听得说：『奶奶姑娘都进来了。』要知后来端底，且看下回分解。

连续三次盛宴与行乐，终于乐极生悲，丑态百出，臭烘烘地闹来，而且闹出了一条人命。物极必反，常极常反，爱莫能助，天道如此，奈何！

一面是生日派对，一面是下作丑闻；一面是和好胜初，一面是人命一条；一面是古老文明，一面是肮脏无耻。更莫名其妙的是宝玉插一杠子，为获得与平儿亲近机会而喜出望外，在这样的背景下，未免令人不齿。

第四十五回　金兰契互剖金兰语　风雨夕闷制风雨词

话说凤姐儿正抚恤平儿，忽见众姐妹进来，忙让坐了，平儿斟上茶来。凤姐儿笑道：『今儿来的这些人，倒像下帖子请了来的。』探春先笑道：『我们有两件事：一件是我的，一件是四妹妹的，还夹着老太太的话。』凤姐儿笑道：『有什么事，这么要紧？』探春笑道：『我们起了个诗社，头一社就不齐全，众人脸软，所以就乱了例了。我想必得你去做个「监社御史」，铁面无私才好。（一件喜事里插入宝玉的祭金钏与凤姐『泼醋』两件极不和谐的事，然后迅速转入诗社雅事，这也堪称『复调』了，这就是生活。生活岂有不复调之理？）再四妹妹为画园子，用的东西这般那般不全，回了老太太，老太太说：「只怕后头楼底下还有当年剩下的，找一找。若有呢，拿出来；若没有，叫人买去。」』

凤姐儿笑道：『我又不会做什么「湿」的「干」的，要我吃东西去不成？』探春道：『你虽不会做，也不要你做；你只监察着我们里头有偷安怠惰的，该怎么样罚他就是了。』凤姐儿笑道：『你们别哄我，我猜着了：那里是请我做「监察御史」！分明是叫我做个进钱的「铜商」。你们弄什么社，必是要轮流做东道的；你们的钱不够花，想出这个法子来勾了我去，好和我要钱，可是这个主意？』（拉赞助法，『红』已有之。）说的众人都笑道：『你却猜着了。』李纨笑道：『真真你是个水晶心肝玻璃人儿。』凤姐笑道：『亏你是个大嫂子呢！姑娘们原叫你带着念书，学规矩、钱针，俱要教导他们的，这会子起诗社，能用几个钱？你就不管了！老太太、太太罢了，原是老封君，你一个月十两银子的月钱，比我们多两倍子。老太太、太太还说你「寡妇失业」的，可怜，不够用，又有个小子，足足的又添了十两银子，和老太太、太太平等，又给你园子里的地，各人取租子；年终分年例，你又是上上分儿。你娘儿们主子奴才共总没有十个人，吃的穿的仍旧是大官中的。通共算起来，也有四五百银子。（借此说明了李纨的处境，还是上上的。）这会子你就每年拿出一二百两来陪着他们玩玩，能有几年呢？他们明儿出了阁，难道还要你赔

不成？这会子你怕花钱，挑唆他们来闹我，我乐得去吃一个河涸海干，我还不知道呢！』

李纨笑道：『你们听听，我说了一句，他就说了两车无赖的话，真真泥腿市俗，专会打细算盘、分金掰两的。你这个东西，亏了还托生在诗书大宦人家做小姐，又是这么出了嫁，还是这么着；若生在贫寒小门小户人家，做了小子丫头，还不知怎么下作呢！天下人都被你算计了去！昨儿还打平儿，亏你伸的出手来！那黄汤难道灌丧了狗肚子里去了？气的我只要替平儿打抱不平儿。忖夺了半日，好容易「狗长尾巴尖儿」的好日子，又怕老太太心里不受用，因此没来。究竟气还不平。你今儿倒招我来了，给平儿拾鞋还不要呢！你们两个，很该换一个过儿才是。』（能和凤姐这样平起平坐，亲热随意而又针尖麦芒地说话的人，尤氏与李纨而已。李纨讲得尤亲。这个寡妇并不简单。第一，她也是投靠主流派的。第二，守寡，她占有道德优势，苦行优势。第三，至少从牙口上看，不善。）说的众人都笑了。

凤姐忙笑道：『哦，我知道了！竟不是为诗为画来找我，竟是为平儿报仇来了。我竟不知道平儿有你这一位仗腰子的人，可知就像有鬼拉着我的手似的，从今我也不敢打他了。平姑娘，过来，我当着你大奶奶、姑娘们替你赔个不是，担待我「酒后无德」罢！』（李纨这样一『骂』，起了活血化瘀、化解矛盾、理顺情绪的作用，从根本上有利于主流派的团结，有利于凤姐平儿的团结，有利于凤姐的管理和根本利益。凤姐正好借此机会在说笑中向平儿赔了不是。）说着众人都笑了。

李纨笑问平儿道：『如何？我说必要给你争争气才罢。』平儿笑道：『虽如此，奶奶们取笑，我可禁不起呢。』李纨道：『什么「禁的起」「禁不起」，有我呢！快拿钥匙叫你主子开门找东西去罢。』凤姐儿笑道：『好嫂子，你且同他们回园子里去。才要把这米账合他们算一算，那边大太太又打发人来叫，又不知有什么话说，须得过去

走一走。还有你们年下添补的衣服，打点给人做去呢。』（日理万机。）李纨笑道：『这些事情我都不管，你只把我的事完了，我好歇着去，省得这些姑娘小姐闹我。』（说明李纨、凤姐的默契。凤姐能听得进李纨的『骂』，不固执错误，也难能可贵。）凤姐儿忙笑道：『好嫂子，赏我一点空儿。你是最疼我的，怎么今儿为平儿就不疼我了？往常你还劝我说：「事情虽多，也该保全身子，检点着偷空儿歇歇。」你今儿倒反逼起我的命来了。况且误了别人年下的衣裳无碍，他姐儿们的要误了，却是你的责任。老太太岂不怪你不管闲事，连一句现成的话也不说；我宁可自己落不是，也不敢累你呀。』（凤姐有从众、随和、注意公共关系的这一面。）

李纨笑道：『你们听听，说的好不好？把他会说话的！我且问你，这诗社到底管不管？』凤姐儿笑道：『这是什么话？我不入社花几个钱，我不成了大观园的反叛了么？（『大观园的反叛』云云，讲得有味，原来大观园也有个不成文法，谁也违背不得的。）还想在这里吃饭不成？明日一早就到任，下马拜了印，先放下五十两银子给你们慢慢的做会社东道，过后几天，我又不作诗作文，只不过是个大俗人罢了。「监察」也罢，不「监察」也罢，有了钱了，愁着你们还不撵出我来！』说的众人又都笑起来。

凤姐儿道：『过会子我开了楼房，凡有这些东西，叫人搬出来你们看，若使得，留着使，若少什么，照你们单子，我叫人替你们买去就是了，画绢我就裁出来。（与前文照应。）那图样没有在太太跟前，还在那边珍大爷那里。说给你们，省了太太那边碰钉子去。我去打发人取了来，一并叫人连绢交给相公们矾去，如何？』李纨点头笑道：『这难为你。果然这样还罢了。既如此，咱们家去罢，等着他不送了去，再来闹他。』说着便带了他姐妹们就走。

凤姐儿道：『这些事再没别人，都是宝玉生出来的。』李纨听了，忙回身笑道：『正是为宝玉来，反忘了他，头一社是他误了。我们脸软，你说该怎么罚他？』凤姐想了一想，说道：『没有别的法子，只叫他把你们各人屋子里的地罚他扫一遍才好。』（『劳动惩罚』。）

众人都笑道：『这话不差。』说着，才要回去，只见一个小丫头扶了赖嬷嬷进来。凤姐儿等忙站起来，笑道：『大娘坐下。』又都向他道喜。赖嬷嬷向炕沿上坐了，笑道：『我也喜，主子们也喜。若不是主子们的恩典，我这喜从何来？昨儿奶奶又打发彩哥赏东西，我孙子在门上朝上磕了头了。』李纨笑道：『多早晚上任去？』（奴才的子弟甚至有做官的前程。阶级等级既是森严的，又不是绝对僵死的，才能使奴隶们也觉得忠心地干下去，不无奔头。）赖嬷嬷叹道：『我那里管他们？由他们去罢！前儿在家里给我磕头，我没好话，我说：「哥儿，别说你是官了，横行霸道的。你今年活了三十岁，虽然是人家奴才，一落娘胎胞，主子的恩典，放你出来，上托着主子的洪福，下托着你老子娘，也是公子哥儿似的，读书写字，也是丫头、老婆、奶子捧凤凰似的，长了这么大。你那里知道那奴才两字是怎么写？只知道享福，也不知你爷爷和你老子受的那苦恼，熬了两三辈子，好容易挣出你这个东西。从小儿三灾八难的，花的银子照样打出你这个银人儿来了。到二十岁上，又蒙主子的恩典，许你捐了前程在身上。你看那正根正苗，忍饥挨饿的，要多少？你一个奴才秧子，仔细折了福！如今乐了十年，不知怎么弄神弄鬼，求了主子，又选出来。县官虽小，事情却大，为那一处的官，就是那一方的父母。你不安分守己，尽忠报国，孝敬主子，只怕天也不容你！」』（都要进行忆苦教育与艰苦奋斗的传统教育。说得好，实际上未必。）

李纨凤姐儿都笑道：『你也多虑。我们看他也就好。先那几年，还进来了两次，这有好几年没来了，年下生日，只见他的名字就罢了。前儿给老太太、太太磕头来，在老太太那院里，见他又穿着新官的服色，倒发的威武了，（驾御奴才，第一，要有绳子、鞭子，第二，要有新官的服色。）比先时也胖了。他这一得了官，正该你乐呢，反倒愁起这些来！他不好，还有他的父母呢，你只受用你的就完了。闲时坐个轿子进来，和老太太斗牌，说说话儿，谁好意思的委屈了你。家去一般也是楼房厦厅，谁不敬你，自然也是老封君似的了。』

平儿斟上茶来，赖嬷嬷忙站起来道：『姑娘，不管叫那孩子倒来罢了，又生受你。』说着，一面吃茶，一面又道：『奶奶不知道。这小孩子们，全要管的严，饶这么严，他们还偷空儿闹个乱子来，叫大人操心。知道的，说小孩子们淘气；不知道的，人家就说仗着财势欺人，连主子名声也不好。恨的我没法儿，常把他老子叫了来骂一顿，才好些。』（赖嬷嬷已是正统教育的体现者与捍卫者，讲起话来也是一腔正气，站稳了忠孝仁义的上风头了。统治阶级中忠于自己的人物，并不惜予以厚待。这样的人极有用。不要以为一味顺从和服小就能当好奴才，那是只知其一不知其二。）因又指宝玉道：『不怕你嫌我，如今老爷不过这么管你一管，老太太就护在头里；当日老爷小时，讨你爷爷打，谁没看见的。老爷小时，何曾像你这么天不怕地不怕的呢！还有那边大老爷，虽然淘气，也没像你这扎窝子的样儿，也是天天打。还有东府里你珍大哥哥的爷爷，那才是「火上浇油」的性子，说声恼了，什么儿子，竟是审贼！如今我眼里看着，耳朵里听着，那珍大爷管儿子，倒也像当日老祖宗的规矩，只是着三不着两的。他自己也不管一管自己，这些兄弟侄儿怎么怨的不怕他？你心里明白，喜欢我说；不明白，嘴里不好意思，心里不知怎么

骂我呢。』（敢于批评主子，也是靠正统，同时靠资格、资历。）

说着，只见赖大家的来了，接着周瑞家的张材家的都进来回事情。凤姐儿笑道：『媳妇来接婆婆来了。』赖大家的笑道：『不是接他老人家来的，倒是打听打听奶奶姑娘们赏脸不赏脸？』赖嬷嬷听了，笑道：『可是我糊涂了！正经说的话倒不说，且说「陈谷子，烂芝麻」的。（先讲陈谷子烂芝麻以确认自己已完全归化了主子一边，才好说底下的。）因为我们小子选了出来，众亲友要给他贺喜，少不得家里摆个酒。我想摆一日酒，请这个不请那个，也不是；又想了一想，托主子的洪福，想不到的这么荣耀光彩，就倾了家，我也愿意的。因此吩咐了他老子连摆三日酒：头一日，在我们破花园子里摆几席酒，一台戏，请老太太、太太们、奶奶、姑娘们去散一日闷；外头大厅上一台戏，几席酒，请老爷们、爷们增增光；（男女分开，至今农村犹有此习。）第二日再请亲友；第三日再把我们两府里的伴儿请一请。热闹三天，也是托着主子的洪福一场，光辉光辉。』

李纨凤姐儿都笑道：『多早晚的日子？我们必去，只怕老太太高兴要去，也定不得。』赖大家的忙道：『择的日子是十四，只看我们奶奶的老脸罢了。』（何等的面子，何等的「光辉」！）凤姐儿笑道：『别人我不知道，我是一定去的。先说下，我可没有贺礼，也不知道放赏的，吃了一走，可别笑话。』赖大家的笑道：『奶奶说那里话？奶奶一喜欢，赏我们三二万银子就有了。』赖嬷嬷笑道：『我才去请老太太，老太太也说去，可算我这脸还好。』（除了道义上的认同、支持以外，事实上，还存在主奴利益的共同体。所谓有身份、有资格——如做过正经主子的奶嬷、有体面、得宠的奴才，他们的利益已依附于主子了。）说毕，叮咛了一回，方起身要走，因看见周瑞家的，便想起一事来，

因说道：『可是还有一句话问奶奶：这周嫂子的儿子，犯了什么不是，撵了他不用？』凤姐儿听了，笑道：『正是我要告诉你媳妇儿呢。事情多，也忘了。赖嫂子回去说给你老头子，两府里不许收留他儿子，叫他各人去罢。』

赖大家的只得答应着。周瑞家的忙跪下央求。赖嬷嬷忙道：『什么事？说给我评评。』凤姐儿道：『前儿我的生日，里头还没吃酒，他小子先醉了。老娘那边送了礼来，他不在外头张罗，倒坐着骂人，礼也不送进来。两个女人进来了，他才带领小么儿们往里抬。小么儿们倒好好的，他拿的一盒子倒失了手，撒了一院子馒头。人去了，我打发彩明去说他，他倒骂了彩明一顿。这样无法无天的忘八羔子，还不撵了做什么！』赖嬷嬷道：『我当什么事情，原来为这个。奶奶听我说：他有不是，打他骂他，使他改过就是了；撵了出去，断乎使不得。他又比不得是咱们家的家生子儿，他现是太太的陪房，奶奶只顾撵了他，太太脸上不好看。依我说，奶奶教导他几板子，以戒下次，仍旧留着才是。不看他娘，也看太太。』凤姐儿听了，便向赖大家的说道：『既这样，明儿叫了他来，打他四十棍，以后不许他吃酒。』（只要凤姐不发火不丧失理智，她还是好商量好说话的。对奴才也并非为所欲为，必须处理好各种关系。这一点颇可为处在上风头者警戒。）赖大家的答应了。周瑞家的才磕头起来，又要与赖嬷嬷磕头，赖大家的拉着方罢。然后他三人去了。李纨等也就回园中来。至晚，果然凤姐命人找了许多旧收的画具出来，送至园中。宝钗等选了一回，各色东西，可用的只有一半。将那一半开了单，与凤姐儿去照样置买，不必细说。（事无巨细，皆有交代，是凤姐的细心，也是曹雪芹的写法。）

一日，外面矾了绢，起了稿子进来，宝玉每日便在惜春那边帮忙，探春、李纨、迎春、宝钗等也都往那里来闲坐，一则观画，二则便于会面。宝钗因见天气凉爽，夜复渐长，遂至母亲房中商议，打点些针线来。日间至贾母处王夫人处两次省候，不免又承色陪坐，闲时园中姐妹处也要不时闲话一回，故日间不大得闲，每夜灯下女工，必至三更方寝。（其实也是『无事忙』。只要衣食无虞，无事忙的问题就解决不了。）

黛玉每岁至春分、秋分之后，必犯旧疾；（认为疾病与时令、节令有关，这是中医学的特色之一。）今秋又遇着贾母高兴，多游玩了两次，未免过劳了神，近日又复嗽起来，觉得比往常又重，所以总不出门，只在自己房中将养。有时闷了，又盼个姐妹来说些闲话排遣；及至宝钗等来望候他，说不得三五句话，又厌烦了。众人都体谅他病中，且素日形体姣弱，禁不得一些委屈，所以他接待不周，礼数疏忽，也都不责他。（虽然都不责他，已留下礼数疏忽的不良印象。）

这日，宝钗来望他，因说起这病症来，宝钗道：『这里走的几个太医，虽都还好，只是你吃他们的药，总不见效，不如再请一个高手的人来瞧一瞧，治好了岂不好？每年间闹一春一夏，又不老，又不小，成什么，也不是个常法儿。』黛玉道：『不中用。我知道我的病是不能好的了。且别说病，只论好的时候我是怎么个形景儿，就可知了。』宝钗点头道：『可正是这话。古人说，「食谷者生」，你素日吃的竟不能添养精神气血，也不是好事。』黛玉叹道：『「生死有命，富贵在天」，也不是人力可强求的。今年比往年反觉又重了些似的。』说话之间，已咳嗽了两三次。（病是人生一大苦恼，与生、老、死并列。）

宝钗道：『昨儿我看你那药方上，人参肉桂觉得太多了。虽说益气补神，也不宜太热。依我说：先以平肝养胃为要。肝火一平，不能克土，胃气无病，饮食就可以养人了。每日早起，拿上等燕窝一两，冰糖五钱，用银吊

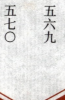

子熬出粥来，若吃惯了，比药还强，最是滋阴补气的。』（宝钗不仅做人，论医也是极平和的。『平易近人』四字，原是相当高的境界。）黛玉叹道：『你素日待人，固然是极好的，然我最是个多心的人，只当你有心藏奸。从前日你说看杂书不好，又劝我那些好话，竟大感激你。往日竟是我错了，实在误到如今。（竟然当面交心，自我检讨。）细细算来，我母亲去世的时候，又无姐妹兄弟，我长了今年十五岁，竟没一个人像你前日的话教导我。怪不得云丫头说你好，我往日见他赞你，我还不受用，昨儿我亲自经过，才知道了。比如你说了那个，我再不轻放过你的；你竟不介意，反劝我那些话，可知我竟自误了。（黛玉为之折服。）若不是前日看出来，今日这话，再不对你说。你方才叫我吃燕窝粥的话，虽然燕窝易得，但只我因身子不好了，每年犯了这病，也没什么要紧的去处。请大夫，熬药，人参，肉桂，已经闹了个天翻地覆了，这会子我又兴出新文来，熬什么燕窝粥，老太太、太太、凤姐姐，这三个人便没话说，那些底下老婆子丫头们，未免嫌我太多事了。你看这里这些人，因见老太太多疼了宝玉和凤姐姐两个，他们尚虎视眈眈，背地里言三语四的，何况于我？况我又不是正经主子，原是无依无靠投奔了来的，他们已经多嫌着我呢；如今我还不知进退，何苦叫他们咒我？』（论者或谓宝钗虚伪：一、或实有虚伪。二、也难说，即使宝钗一百二十分的真诚，也难免虚伪之讥。盖好人难做，谁做了好人谁就要受疑惑。做了好人就收获了人心，就有了效果，就变成了争取人心的手段，客观上变成了无法明其真的『伪』了。所以，刘备、宋江都被认为『伪』。薛蟠、李逵等才被承认其真诚。仁则伪，恶而真，噫！这也是众人皆知善之为善，斯不善矣。）

宝钗道：『这样说，我也是和你一样。』黛玉道：『你如何比我？你又有母亲，又有哥哥，这里又有买卖地土，

家里又仍旧有房有地。你不过亲戚的情分，白住在这里，一应大小事情，又不沾他们一文半个，要走就走了。我是一无所有，吃穿用度，一草一木，皆是和他们家的姑娘一样，那起小人岂有不多嫌的？』（黛玉的这些处境并无具体描写，粗粗一说，亦可想象。一无所有，可怜，却也洒脱。）宝钗笑道：『将来也不过多费得一副嫁妆罢了，如今也愁不到那里。』黛玉听了，不觉红了脸，笑道：『人家才拿你当个正经人，把心里烦难告诉你听，你反拿我取笑儿。』宝钗笑道：『虽是取笑儿，却也是真话。你放心，我在这里一日，我与你消遣一日。你有什么委屈烦难，只管告诉我，我能解的，自然替你解。我虽有个哥哥，你也是知道的；只有个母亲，比你略强些。咱们也算同病相怜。你也是个明白人，何必作「司马牛之叹」？你才说的也是，「多一事不如省一事」。我明日家去，和妈妈说了，只怕燕窝我们家里还有，与你送几两。每日叫丫头们就熬了，又便宜，又不惊师动众的。』（不惊师动众，低调原则也。）黛玉忙笑道：『东西是小，难得你多情如此。』宝钗道：『这有什么放在嘴里的！（何足挂齿，说成『有什么放在嘴里的』，一白话，反而别扭了。）只愁我人人跟前失于应候罢了。这会子只怕你烦了，我且去了。』黛玉道：『晚上再来和我说句话儿。』宝钗答应着便去了，不在话下。

这里黛玉喝了两口稀粥，仍歪在床上。不想日未落时，天就变了，淅淅沥沥下起雨来。秋霖脉脉，阴晴不定，那天渐渐的黄昏，且阴的沉黑，兼着那雨滴竹梢，更觉凄凉。知宝钗不能来，便在灯下随便拿了一本书，却是《乐府杂稿》，有《秋闺怨》、《别离怨》等词。黛玉不觉心有所感，亦不禁发于章句，遂成《代别离》一首，拟《春江花月夜》之格，乃名其词曰『秋窗风雨夕』。（林黛玉的咏叹调。与葬花词相呼应。）词曰：

秋花惨淡秋草黄，耿耿秋灯秋夜长。
已觉秋窗秋不尽，那堪风雨助凄凉！
助秋风雨来何速？惊破秋窗秋梦续。
抱得秋情不忍眠，自向秋屏挑泪烛。
泪烛摇摇爇短檠，牵愁照眼动离情。
谁家秋院无风入？何处秋窗无雨声？
罗衾不奈秋风力，残漏声催秋雨急。
连宵脉脉复飕飕，灯前似伴离人泣。
寒烟小院转萧条，疏竹虚窗时滴沥。
不知风雨几时休，已教泪洒窗纱湿。

吟罢搁笔，方欲安寝，丫鬟报说：『宝二爷来了。』（此诗虽好，虽纯净，但太平面了。）一语未尽，只见宝玉头上戴着大箬笠，身上披着蓑衣，（这种天时，这种气氛下，宝二爷这种装束到来，平添了浪漫色彩、知音情义。）黛玉不觉笑道：『那里来的这么个渔翁？』宝玉忙问：『今儿好？吃药了没有？今儿一日吃了多少饭？』一面说，一面摘了笠，脱了蓑，忙一手举起灯来，一手遮着灯儿，向黛玉脸上照了一照，觑着瞧了一瞧，笑道：『今儿气色好了些。』（黛玉是何等地需要宝二爷呀！）

黛玉看他脱了蓑衣，里面只穿半旧红绫短袄，系着绿汗巾子，膝上露出绿绸撒花裤子，底下是掐金满绣的绵

纱袜子，靸着蝴蝶落花鞋。黛玉问道：『上头怕雨，底下这鞋袜子是不怕雨的？也倒干净。』宝玉笑道：『我这一套是全的。有一双棠木屐，才穿了来，脱在廊檐下了。』（穿遍绫罗绸缎皮革毛绒，又讲究到返璞归真的蓑衣斗笠上去了。）

黛玉又看那蓑衣斗笠不是寻常市卖的，十分细致轻巧，因说道：『是什么草编的？怪道穿上不像那刺猬似的。』宝玉道：『这三样都是北静王送的。他闲常下雨时，在家里也是这样。你喜欢这个，我也弄一套来送你。别的都罢了，惟有这斗笠有趣：上头这顶儿是活的，冬天下雪，戴上帽子，就把竹信子抽了去，拿下顶子来，只剩了这个圈子；下雪时，男女都带得。我送你一顶，冬天下雪戴。』黛玉笑道：『我不要他，戴上那个，成了画儿上画的和戏上扮的渔婆儿了。』（已有了这个心。）及说了出来，方想起来这话忒与方才说宝玉的话相连了，后悔不迭，羞的脸飞红，伏在桌上，嗽个不住。

宝玉却不留心，因见案上有诗，遂拿起来看了一遍，又不觉叫好。黛玉听了，忙起来夺在手内，灯上烧了。宝玉笑道：『我已记熟了。』黛玉道：『我要歇了，你请去罢，明日再来。』宝玉听了，回手向怀内掏出一个核桃大的金表来，（怀表。）瞧了一瞧，那针已指到戌末亥初之间，忙又揣了，说道：『原该歇了，又搅的你劳了半日神。』说着，披蓑戴笠出去了，又翻身进来，问道：『你想什么吃？你告诉我，我明儿一早回老太太，岂不比老婆子们说的明白？』黛玉笑道：『等我夜里想着了，明日一早告诉你。你听，雨越发紧了，快去罢。可有人跟没有？』两个婆子答应：『有人，外面拿着伞点着灯笼呢。』黛玉笑道：『这个天点灯笼？』宝玉道：『不相干，是羊角的，不怕雨。』

黛玉听说，回手向书架上把个玻璃绣球灯拿了下来，命点一枝小蜡来，递与宝玉，道：『这个又比那个亮，正是雨里点的。』（自『诉肺腑』以来，黛玉与宝玉的关系已是十分牢固，十分体贴了，真得像渔婆照顾渔翁一样。）宝玉道：『我也有这么一个，怕他们失脚滑倒了打破了，所以没点来。』黛玉道：『跌了灯值钱呢，是跌了人值钱？你又穿不惯木屐子。那灯笼命他们前头点着；这个又轻巧又亮，原是雨里自己拿着的，你自己手里拿着这个，岂不好？明儿再送来。就失了手也有限的，怎么忽然又变出这「剖腹藏珠」的脾气来！』（这与前述她与宝钗的关系融洽互有影响，良性作用。黛玉并非一味使性哭闹。玻璃绣球灯一节，多少情分！宝玉的爱是得到了回应的。）宝玉听了，随过来接了。前头两个婆子打着伞，拿着羊角灯，后头还有两个小丫鬟打着伞。宝玉便将这个灯递给一个小丫头捧着，宝玉扶着他的肩，一径去了。

就有蘅芜院一个婆子，也打着伞，提着灯，送了一大包燕窝来，还有一包子洁粉梅片雪花洋糖。说道：『这比买的强。我们姑娘说：「姑娘先吃着，完了再送来。」』黛玉回说：『费心。』命他：『外头坐了吃茶。』婆子笑道：『不吃茶了，我还有事呢。』黛玉笑道：『我也知道你们忙。如今天又凉，夜又长，越发该会个夜局，痛赌两场了。』（黛玉也是信息灵通，并非不食烟火之人。）婆子笑道：『不瞒姑娘说，今年我大沾光儿了。横竖每夜有几个上夜的人，误了更又不好，不如会个夜局，又坐了更，又解了闷。今儿又是我的头家，如今园门关了，就该上场儿了。』黛玉听了，笑道：『难为你。误了你的发财，冒雨送来。』（谁说黛玉不会做人？）命人：『给他几百钱，打些酒吃，避避雨气。』那婆子笑道：『又破费姑娘赏酒吃。』说着，磕了一个头，外面接了钱，打伞去了。

紫鹃收起燕窝，然后移灯下帘，伏侍黛玉睡下。黛玉自在枕上感念宝钗，一时又羡他有母有兄；一回又想宝玉素昔和睦，终有嫌疑；又听见窗外竹梢蕉叶之上，雨声淅沥，清寒透幕，不觉又滴下泪来。（有病的原因，有处境的原因，有性格原因，也有青春期的原因。）直到四更方渐渐的睡熟了。暂且无话。要知端的，且看下回分解。

上回恶斗死人后，此回又平缓下来，解释矛盾，宽大处理犯错误的奴才——周瑞家的儿子，宝钗黛玉亲如姐妹，尽释前嫌，宝玉黛玉更是彼此关照。天下太平，『让世界充满爱』了。爱完了恨，恨完了还是得爱。斗完了玩耍，玩耍完了还得斗。施恩完了逞凶，逞凶完了还得施恩。猜疑完了信任，信任完了难免再猜疑。这就是『红楼』，这就是人生之『梦』。

雨夜伤心，痴兄到访，渔公渔婆，能不依依？黛玉也有倍感温馨的时候，感而泣，雨打芭蕉，雨滴竹叶，人生能有几次这样的感动！